Jack Canfield
Mark Victor Hansen
Jennifer Read Hawthorne
Marci Shimoff

Histórias para Aquecer o Coração das Mães

SEXTANTE

Título da edição original em inglês: *Chicken soup for the mother's soul*

Publicado em acordo com Health Communications Inc., Deerfield Beach, Flórida, EUA

tradução
Cláudia Guimarães
Marilena Moraes
preparo de originais
Regina da Veiga Pereira
revisão
Sérgio Bellinello Soares
capa
Victor Burton
projeto gráfico e diagramação
Valéria Facchini de Mendonça
fotolitos
Mergulhar Serviços Editoriais Ltda.
impressão
Geográfica e Editora Ltda.

Miolo impresso em Chamois Bulk Dunas 90g/m²

CIP-BRASIL. CATALOGAÇÃO-NA-FONTE
SINDICATO NACIONAL DOS EDITORES DE LIVROS, RJ.

H58 Histórias para aquecer o coração das mães
/Jack Canfield... [et al.] ; tradução de Cláudia Guimarães e
Marilena Moraes. – Rio de Janeiro : Sextante, 2002

Tradução de: Chicken soup for the mother's soul
ISBN 85-7542-014-3

1. Mães – Antologias 2. Maternidade – Antologias.
3. Meditações.
I. Canfield, Jack, 1944 –.

02-0357. CDD 158.1
CDU 159.947

Editora Sextante (GMT Editores Ltda.)
Av. Nilo Peçanha, 155 – Gr. 301 – Centro
20020-100 – Rio de Janeiro – RJ
Tel.: (21) 2524-6760 – Fax: (21) 2524-6755
Central de Atendimento: 0800-22-6306
E-mail: atendimento@esextante.com.br
www.esextante.com.br

Sumário

Introdução

Uma mãe não deve ser comparada a nenhuma outra pessoa – ela é incomparável.

PROVÉRBIO AFRICANO

Não existe ninguém como uma mãe. Nossas mães nos deram a vida, nos amam, cuidam de nós e querem o melhor para nós, não importa a nossa idade. Elas jamais deixam de ser mães. Não há forma de descrever, adequadamente, a dádiva que nos concederam.

E nenhuma experiência no mundo se compara a ser mãe. Estar grávida, sentir as dores do parto, passar pelo parto em si e, tanto no caso de mães adotivas quanto no de mães biológicas, ver o rosto de seu bebê pela primeira vez: esses eventos intensos são apenas o início de um papel de importância única nesta vida, aquilo que chamamos de maternidade.

Quer você seja mãe ou considere o relacionamento com a sua mãe um verdadeiro tesouro, as histórias deste livro vão inspirar, estimular e emocionar. Para filhos e filhas, estes relatos exemplificam a maneira que muitas mães têm de enriquecer as nossas vidas. Para as mães, celebram e reconhecem a natureza multifacetada e árdua do papel que desempenham.

Quem precisa fazer malabarismos para realizar todas as tarefas necessárias para cuidar de uma família hoje em dia? Em qualquer momento pode-se contar com uma mãe para ser o arrimo de família, para ser a provedora, a motorista, a lavadora de louças, a empregada, a secretária particular, a confidente e muito mais.

Às vezes, exige-se que uma mãe desempenhe todas essas funções ao mesmo tempo! Está muito claro que foram as mães que inventaram o conceito de realizar tarefas múltiplas de maneira extremamente bem feita.

Esses aspectos variados da vida de uma mãe estão descritos nas diversas histórias de *Histórias para Aquecer o Coração das Mães.* Elas realçam o elo de amor que liga as mães aos filhos e falam da coragem de uma mãe diante de desafios, da sabedoria que compartilham com seus filhos, dos momentos especiais que geram nossas recordações mais valiosas e, finalmente, do fantástico processo de tornar-se mãe, seja através do nascimento ou da adoção.

Este livro foi criado como uma homenagem a mães de todas as idades e para servir de fonte de inspiração, compartilhar experiências e trazer consolo em momentos difíceis. Além disso, esperamos que proporcione pérolas de sabedoria para as mães.

Após ler o manuscrito original, a mãe de Carol escreveu o seguinte bilhete: "Há muitas coisas nestas histórias que eu gostaria de ter feito como mãe. Ainda há coisas que posso fazer. Umas delas é dizer aos meus filhos, netos e bisnetos o quanto os amo e o quanto significam para mim." Nosso desejo sincero é que todos que lerem este livro sejam motivados de maneira parecida.

Este livro é o nosso presente para vocês, mães do mundo. Com ele queremos homenagear as mães de todos os lugares, mas como agradecer a uma mãe pelo dom da vida?

Enquanto líamos as milhares de histórias que analisamos para compor *Histórias para Aquecer o Coração das Mães,* ficamos emocionados com a profundidade dos sentimentos que as pessoas expressam por suas mães.

Muitos falaram dos sacrifícios feitos por suas mães; outros, do quanto elas foram corajosas; e muitos compartilharam a inspiração e o estímulo recebidos de suas mães. Mas nenhum tema foi expressado mais amplamente do que a natureza eterna do amor de mãe.

Uma passagem que lemos retrata com perfeição a essência desse tema:

Num dia calmo, luminoso, doce e ensolarado, um anjo fugiu do céu, desceu a este velho mundo e percorreu campos e florestas, cidades e povoados. Tão logo o sol se pôs, ele abriu as asas e disse:

– Aqui termina a minha visita. Tenho de retornar ao mundo da luz. Mas, antes de ir, preciso recolher algumas lembranças de minha visita.

Ele olhou para um lindo jardim e disse:

– Que lindas estas flores.

Colheu as mais raras rosas, fez um buquê e declarou:

– Não vejo nada de mais bonito ou perfumado do que estas flores. Vou levá-las comigo.

Mas, olhando um pouco adiante, viu um bebê de olhos brilhantes e faces rosadas sorrindo para a mãe.

– Oh, o sorriso daquele bebê é mais lindo do que este buquê. Vou levá-lo também.

Ele então olhou além do berço e viu o amor da mãe fluindo como o jorro de um rio em direção ao bebê. Então, ele disse:

– Oh, o amor dessa mãe é a coisa mais bela que vi na Terra. Vou levá-lo também.

E, com esses três tesouros, alçou vôo até os portões do Paraíso, deteve-se do lado de fora e disse:

– Antes de entrar, acho que darei uma olhada nas lembranças que trouxe.

Olhou para as flores, mas haviam murchado. Olhou para o sorriso do bebê, mas ele estava desbotado. Olhou para o amor da mãe e lá estava ele, em toda a sua rara beleza.

Atirou para um lado as flores murchas e o sorriso desfeito, atravessou os portões, congregou toda a multidão que habita o Paraíso e pronunciou:

– Eis aqui a única coisa que encontrei na Terra capaz de

guardar a sua beleza durante todo o percurso até o céu: o amor de uma mãe.

E assim, com amor em nossos corações, oferecemos a você *Histórias para Aquecer o Coração das Mães.* Que você experimente os milagres do amor, da alegria e da inspiração ao ler este livro. Que ele toque o seu coração e eleve o seu espírito.

Como ler este livro

Este livro pode ser lido de uma vez – muitos fizeram isso e se beneficiaram com a leitura. Mas nós gostaríamos de lhes sugerir que o lessem devagar, saboreando cada história como se estivessem degustando um vinho da melhor qualidade – em pequenos goles, para dar-lhes tempo de deixar-se impregnar e refletir sobre os significados e implicações para sua vida de cada uma das histórias. Fazendo assim, vocês irão descobrir que cada história alimenta seu coração, sua mente e sua alma de um modo diferente.

Cada uma das histórias deste livro contém algum significado especial para sua vida. Por isso vale a pena saboreá-las com calma, deixando que este significado aflore. Se não for no momento da leitura, ele virá depois, aos poucos. É só esperar.

Compartilhe essas histórias com outros

Quando lemos uma história que nos toca especialmente, queremos logo reparti-la com alguém de quem gostamos muito ou com quem temos alguma afinidade. Quando uma das histórias deste livro os tocar mais profundamente, fechem os olhos e pensem: "Quem precisa ouvir essa história agora?" Alguém que lhes importa pode vir à mente. Procurem então essa pessoa, ou telefonem para ela e compartilhem a história, dizendo que ela os levou a pensar nela. Fazendo isso, a história passará a adquirir um sentido ainda mais profundo para você.

Compartilhem as histórias com seus companheiros de trabalho, na igreja, sinagoga ou templo, nos locais que freqüentam, em casa, com suas famílias.

Depois de compartilharem uma história, conversem com o outro para saber como ela os tocou e digam o que os levou a querer dividi-la com essa pessoa específica. Mais importante ainda, façam com que a história do livro seja o ponto de partida para compartilharem suas próprias histórias.

Todo esse processo – ler, compartilhar, contar suas histórias e ouvir as do outro – pode ser extremamente transformador. Histórias são poderosos instrumentos que liberam nossas energias capazes de curar, integrar, expressar e fazer crescer. É um processo inconsciente, mas eficaz. Centenas de leitores afirmaram que os livros da série *Histórias para Aquecer o Coração* abriram um fluxo de emoções reprimidas e facilitaram o diálogo e a troca na família e entre amigos.

Também queremos estimulá-los a contar suas próprias histórias. Nunca sabemos o quanto uma delas pode ajudar alguém. Como vários relatos deste livro vão mostrar, em alguns casos a sua história pode salvar alguém.

No correr da vida muitas pessoas nos ajudaram com suas histórias e nós nos sentimos gratos a elas. Esperamos que, de alguma forma, possamos também ajudá-los a amar e viver mais plenamente. Se conseguirmos introduzi-los nesse caminho, ficaremos felizes por ter atingido o que desejamos com esses livros.

Finalmente, gostaríamos muito de ouvir suas reações às histórias. Entrem em contato conosco comunicando-se com a Editora Sextante por carta, fax, *e-mail* ou através de nosso *site.* Digam-nos de que forma as histórias os tocaram. Queremos convidá-los também a compartilhar conosco suas próprias histórias, para fazermos juntos uma corrente de energia capaz de transformar a vida das pessoas e o mundo.

Por favor, mandem-nos qualquer história, poema ou texto que vocês achem que poderiam ser incluídos em futuros volumes da série *Histórias para Aquecer o Coração.* Nossos endereços encontram-se no final deste livro. Aguardamos com alegria aquilo que você quiser nos enviar. Até lá, desejamos que este livro lhe dê o mesmo prazer que tivemos em publicá-lo.

JACK CANFIELD, MARK VICTOR HANSEN,
JENNIFER READ HAWTHORNE E MARCI SHIMOFF

Como Deus não pode estar
em todos os lugares, Ele criou as mães.

PROVÉRBIO JUDAICO

Quando Deus criou as mães

Quando o bom Senhor estava criando as mães e entrava no sexto dia de hora extra, surgiu o anjo e disse:

– Estás caprichando neste daí, hein?

E o Senhor respondeu:

– Já leste as especificações técnicas deste pedido? Ela precisa ser 100% lavável, sem ser de plástico; precisa ter 180 peças flexíveis... todas elas substituíveis; precisa ser movida a café preto e sobras de comida; tem de ter um beijo que cure qualquer mal, de uma perna quebrada a uma desilusão amorosa; além de seis pares de mãos.

O anjo balançou a cabeça lentamente e opinou:

– Seis pares de mãos? Assim não dá!

– Não são as mãos que estão me causando problemas – disse o Senhor. – São os três pares de olhos que as mães precisam ter.

– O modelo básico é assim? – indagou o anjo.

O Senhor fez que sim com a cabeça:

– Um par para ver através da porta quando ela pergunta "O que é que estão aprontando aí dentro, crianças?" quando já sabe a resposta. Outro par aqui, atrás da cabeça, para ver o que não deve mas o que precisa saber e, é claro, os dois daqui da frente, para poder olhar para o filho quando este errar e dizer "Eu compreendo e o amo" sem pronunciar uma única palavra.

– Senhor – disse o anjo, tocando a manga de sua roupa, suavemente –, precisas dormir. Amanhã...

– Não posso – reagiu o Senhor. – Estou muito próximo de criar algo muito parecido comigo. Já criei um ser que se cura quando está doente... que consegue alimentar uma família de seis com meio quilo de carne moída... e que consegue enfiar uma criança de nove anos debaixo do chuveiro.

O anjo caminhou em torno do modelo da mãe, lentamente.

– Mas é suave demais!

– Na mesma medida em que é valente – disse o Senhor, animadíssimo. – Você nem imagina o que esta mãe pode fazer ou suportar.

– Ela sabe pensar?

– Não apenas sabe pensar como, também, raciocinar e encontrar soluções conciliatórias – respondeu o Criador.

Finalmente, o anjo se curvou e passou o dedo pela face do modelo.

– Há um vazamento aqui – pronunciou. – Eu avisei que estavas tentando colocar coisas demais neste modelo.

– Mas não é um vazamento – corrigiu o Senhor. – É uma lágrima.

– E para que serve?

– Serve para a alegria, para a tristeza, o desapontamento, a dor, a solidão e o orgulho.

– O Senhor é mesmo um gênio – elogiou o anjo.

Então o Senhor mostrou-se solene:

– Mas não fui eu que a coloquei aí.

ERMA BOMBECK

Bem-vinda à Holanda

Muitas vezes me pedem para contar como criamos uma criança especial, para tentar ajudar as pessoas que não têm essa experiência única a entendê-la. A comparação que sempre me ocorre é a seguinte:

Esperar um bebê é como planejar a fantástica viagem de férias com que você sempre sonhou – para a Itália. Você compra um monte de guias e faz planos maravilhosos. O Coliseu. O *David* de Michelangelo. As gôndolas, em Veneza. Você pode aprender frases úteis em italiano. Tudo é uma festa.

Depois de meses de expectativa, finalmente chega o dia da viagem. Malas prontas, você entra no avião e, algumas horas depois, a aeromoça vem e diz: "Bem-vinda à Holanda."

"Holanda?! Como assim, Holanda?", você se espanta. "Meu vôo era para a Itália. Sonhei a vida inteira em ir para a Itália."

Mas houve uma mudança no plano de vôo. Aterrissaram na Holanda e este é seu destino agora.

O importante é que não te levaram a um lugar horrível, desagradável e sujo, cheio de epidemias, fome e doença. É só um lugar diferente.

Então você tem de sair e comprar novos guias. E aprender uma língua nova. E conhecer pessoas que nunca teria conhecido. É só um lugar diferente. O ritmo é mais lento que o da Itália; a luz, menos brilhante. Mas, depois de estar lá por algum tempo, você toma fôlego, olha em volta... e começa a notar que a Holanda tem moinhos... e a Holanda tem tulipas. A Holanda tem até Rembrandts.

Mas todo mundo que você conhece foi e voltou da Itália, contando maravilhas do tempo passado lá. Pelo resto da vida você dirá: "É, era para lá que eu deveria ter ido. Era isso que eu tinha planejado."

E a dor do seu coração nunca, nunca mesmo, irá embora completamente... porque, afinal, a perda desse sonho é muito significativa.

Mas, se você passar a vida lamentando o fato de não ter ido para a Itália, talvez não possa descobrir e aproveitar o que existe de tão especial e todas as coisas adoráveis que há na Holanda.

EMILY PERL KINGSLEY

Mãe por um só dia

Sendo mãe de três lindas crianças, tenho muitas lembranças especiais para contar. Mas foi com uma criança que não era minha que vivi um momento especial pelo qual tenho muito carinho.

Recomendado pela residência para meninos onde morava, Michael veio, no último verão, para a nossa colônia de férias que reunia crianças com baixa auto-estima. Aos doze anos, já passara por maus momentos. Órfão de mãe, o pai o trouxera de um país destruído pela guerra para os Estados Unidos, para que pudesse ter "uma vida melhor". Infelizmente, fora entregue a uma tia, que o maltratara física e emocionalmente. Tornou-se um menino insubordinado e hostil, com pouca responsabilidade e acreditando que não era amado.

Na colônia, ele andava com outros garotos problemáticos e desordeiros, uma verdadeira gangue, um desafio para os supervisores. Mas nós procurávamos aceitá-los e amá-los como eram. Entendíamos que seu comportamento era um reflexo do quanto foram maltratados. Colocávamos limites com firmeza, mas afetuosamente.

Pela quinta noite da nossa experiência de uma semana, combinamos com as crianças um acampamento sob as estrelas. Michael disse que ia ser uma chatice e que não iria. Aceitei sua recusa, para não criar problema e mantivemos o programa com os outros.

Chegando a noite, a lua no céu, as crianças começaram a arrumar os sacos de dormir sobre um enorme deque perto do lago. Vi Michael se aproximando, sozinho, a cabeça baixa. Ele veio rapidamente em minha direção e, antes que falasse alguma coisa, eu disse: "Michael, vamos pegar seu saco de dormir e achar um bom lugar para você perto de seus amigos."

"Não tenho saco de dormir", ele falou baixinho.

"Isso não é problema! Vamos abrir umas sacolas e pegar uns cobertores!", retruquei.

Imaginei ter resolvido o dilema e fui andando. Michael segurou minha blusa e me afastou do grupo.

"Anne, preciso lhe contar uma coisa." Vi a hostilidade no rosto daquele menino endurecido se desmanchar e, baixinho, ele continuou: "Anne, tenho um problema... Eu... eu faço xixi na cama, molho o lençol todas as noites."

Extremamente emocionada, coloquei o braço em torno de seu ombro e agradeci por ele ter tido confiança em mim. Disse que compreendia seu problema e perguntei como poderia ajudá-lo. Juntos, combinamos que ele poderia dormir sozinho em sua cabana, sem que os outros meninos percebessem.

Voltei com ele para a cabana e, no caminho, perguntei se não estava com medo de dormir sozinho. Michael me afirmou que isto não era nada perto das situações que já enfrentara nos seus doze anos de vida. Virei o colchão, protegi-o com um plástico e, enquanto colocávamos na cama seu último jogo limpo de lençóis, conversamos sobre as dificuldades por que passara e sobre seu desejo de que o futuro fosse diferente. Segurando sua mão, afirmei que ele tinha a força necessária para fazer de sua vida o melhor possível. O menino hostil e endurecido transformou-se numa criança doce e afetuosa.

Michael se deitou e eu o cobri, puxando o cobertor até o queixo. Acariciei seus cabelos e beijei sua testa. "Boa noite, Michael, fique sabendo que você é um garoto maravilhoso!"

Ele se remexeu e suspirou fundo: "Boa noite. Sabe que, desde que minha mãe morreu, ninguém tinha feito isso comigo? Obrigado por tudo."

"De nada, querido", respondi, abraçando-o. Eu chorava quando me virei para sair, levando três conjuntos de lençóis, sujos. Não tornei a ver Michael depois da colônia, mas rezo por ele todos os dias, desejando que aquele momento de afeto e acolhida tenha podido contribuir para sua felicidade.

ANNE JORDAN

Você já viu Deus?

Minha mãe era analfabeta, nunca quis aprender a ler. Certa vez eu lhe trouxe um caderno e um lápis bentos pelo Papa Paulo VI para ver se ela se animava a aprender. Minha mãe jogou longe, dizendo: "Para que eu quero aprender a ler e escrever se tenho onze filhos que fizeram universidade, quase todos doutores. Para quê? Eles sabem por mim. Não preciso eu estudar e saber."

Mas era uma mulher de grande sabedoria existencial e profunda piedade.

Eu costumava gravar coisas que escrevia para ela escutar. Minha mãe escutava e dizia: "Onde você aprendeu tudo isso? Eu nunca te ensinei tais coisas!"

Ao ouvir uma das gravações em que eu falava da experiência de Deus, ela me olhou fundo e fez a pergunta: "Você já viu Deus?"

Eu respondi de pronto: "Minha mãe, a gente não vê Deus. Deus é espírito, é invisível."

Ela deu como que um suspiro, colocando a mão no peito, me olhou com infinita tristeza e disse: "Você é padre há tantos anos e nunca viu Deus?"

Eu insisti: "Mãe, a gente não vê Deus."

Ela retrucou: "Você não vê Deus, mas eu O vejo todos os dias. Quando o sol se põe lá no horizonte, Deus passa com um manto fantástico, lindo. Ele vem sempre sério, e teu pai que já faleceu vem atrás, olha para mim, me dá um sorriso e segue junto com Deus. Eu vejo Ele todos os dias."

Eu fiquei parado, me perguntando: "Quem é o teólogo aqui, ela ou eu? A analfabeta ou o doutor em teologia?"

Temos que aprender com as pessoas que vivem tais experiências. Porque a fé é uma experiência tão global que entra pelos olhos, entra no coração, entra na fantasia, entra nas projeções. Deus é substância da sua própria substância.

Essas pessoas não crêem em Deus. Elas sabem de Deus porque O viram, porque O experimentaram.

LEONARDO BOFF
Extraído do livro *Espiritualidade*

Para ler quando estiver sozinho

Eu tinha treze anos e minha família se mudara do norte da Flórida para o sul da Califórnia um ano antes. Eu era, como a maioria dos adolescentes, raivoso e rebelde, não dando importância ao que meus pais diziam, principalmente se tivesse alguma coisa a ver com meu comportamento.

Lutava para contestar qualquer coisa que não correspondesse à minha idéia do mundo. De uma extrema auto-suficiência, eu rejeitava qualquer manifestação pública de amor. Na verdade, ficava irritado com a simples menção da palavra amor.

Na noite de um dia particularmente difícil, entrei no quarto como um furacão, tranquei a porta e me joguei na cama. Ali deitado, escorreguei as mãos por baixo do travesseiro e achei um envelope. Nele se lia: "Para ler quando estiver sozinho."

Como estava sozinho, ninguém saberia se eu lera ou não. Assim, abri e li:

Mike, sei que a vida está dura agora, sei que você se sente frustrado e que, apesar da nossa boa intenção, nem tudo que fazemos é certo. Mas sei principalmente que amo você demais e nada do que você faça ou diga vai mudar isso. Nunca. Estou aqui para conversar, se você precisar e, se não precisar, tudo bem. Saiba que não importa aonde você vá ou o que você faça na vida, sempre vou amá-lo e sentir orgulho de tê-lo como filho. Estou aqui por você e o amo. Isso não vai mudar nunca.

Com amor. Mamãe.

Esta foi a primeira de muitas cartas "para ler quando estiver sozinho". Jamais falamos sobre elas, até eu ser adulto.

Hoje eu corro mundo ajudando pessoas. Estava dando um seminário na Flórida e, no final da palestra, uma senhora veio falar comigo sobre os problemas que estava tendo com o filho. Fomos até a praia e falei para ela do enorme amor de minha mãe e das cartas "para ler quando estiver sozinho". Semanas depois, recebi um cartão onde a senhora dizia ter escrito sua primeira carta para o rapaz.

Naquela noite, passei a mão sob meu travesseiro e me lembrei do alívio que sentia sempre que encontrava uma carta. Nos anos atribulados de minha adolescência, as cartas eram a garantia silenciosa de que eu era amado, apesar de tudo, incondicionalmente. Essa gratuidade do amor de minha mãe me ajudou a superar as crises e revoltas da adolescência e fez vir à tona o que eu tinha de melhor. Agradeci a Deus por minha mãe saber do que eu – um adolescente raivoso – precisava. Por ela ter persistido apesar do meu silêncio, da minha aparente indiferença.

Hoje, quando os mares da vida se tornam revoltos, sei bem que sob meu travesseiro está a segurança de que o amor – consistente, durável, incondicional – é capaz de mudar vidas.

Mike Straver

– Como você divide o seu amor por quatro filhos?

– Eu não divido, eu multiplico!

Uma doce lição

O coração da mãe é a sala de aula de uma criança.
HENRY WARD BEECHER

Meu pai adorava abelhas. Quando uma abelha selvagem chegava zumbindo, ele parava o que estivesse fazendo para esperar a abelha fartar-se de néctar. Assim que estava satisfeita, ela levantava vôo, precisa como uma flecha, em direção à sua colméia, no bosque. Papai então partia em seu encalço. Mesmo que a perdesse de vista sabia, mais ou menos, onde ela terminaria, já que as abelhas traçam uma reta quando se encaminham para casa.

Quando papai encontrava uma árvore oca com um enxame de abelhas dentro, visitava o proprietário das terras e pedia-lhe permissão para cortar a árvore. Sempre dava ao proprietário todo o mel em troca das abelhas. Foi assim que construiu um imenso apiário que, por fim, passou a ser a maior fonte de renda de nossa família.

Uma colméia podia morrer de fome durante o inverno se a

sua provisão de mel não durasse até as plantas florescerem. É rotina o apicultor ajudar suas abelhas nos meses de frio, alimentando-as com um xarope feito de água e açúcar.

Durante a Primeira Guerra Mundial, nosso país passou por uma seriíssima escassez de açúcar. O governo passou a racioná-lo, além de diversos outros produtos. Isso criou uma imensa procura por mel como substituto. Devido à necessidade de fornecer mel para a população, os apicultores recebiam uma ração sobressalente de açúcar para manter suas abelhas vivas durante o inverno. Guardávamos a porção que nos cabia num barril na cozinha externa, que usávamos no verão. Nós, as crianças, sabíamos que era estritamente para a alimentação das abelhas.

Devido ao racionamento sofrido pelo país durante a Primeira Guerra Mundial, era muitas vezes difícil para as mães prepararem refeições apetitosas para suas famílias. Era especialmente difícil quando havia algum convidado.

Fomos avisados de que nossos parentes favoritos, que viviam a muito quilômetros de distância, viriam nos visitar no dia seguinte. Ficamos muito animados! Mamãe começou a planejar o jantar que faria por ocasião da visita. Melancólica, declarou:

– Como eu gostaria de fazer um bolo! – Ela sentia imenso orgulho dos bolos que preparava. No entanto, como a pequena ração de açúcar destinada à nossa família já fora consumida, ficava impossível fazer o tal bolo.

É claro que nós, as crianças, queríamos o bolo tanto quanto ela! Imploramos para que pegasse o açúcar da ração das abelhas para prepará-lo. Nosso argumento era que o governo jamais saberia. Finalmente, ela cedeu. Foi lá fora, até o barril de açúcar da cozinha externa, e usou-o para fazer sua deliciosa receita de bolo amarelo. Foi preciso grande habilidade para assar o bolo perfeito num forno à lenha, mas mamãe conseguiu. Quando terminou de decorá-lo com uma cobertura especial de merengue, ficamos extremamente orgulhosos de servi-lo para as visitas.

Pouco depois chegou o dia de nossa família receber a ração mensal de açúcar. Papai foi até a mercearia comprá-lo. O vendedor colocou-o num minúsculo saquinho marrom e amarrou-o com cuidado. Quando chegou em casa, papai o colocou sobre a mesa.

Mamãe olhou brevemente para o pacotinho. Então, pegou o mesmo medidor que usara para o açúcar do bolo. Enquanto nós, crianças, a olhávamos estupefatos, ela mediu exatamente a quantidade que usara. Então, solenes, a seguimos até o barril de açúcar das abelhas, onde ela o despejou.

O que restou de açúcar no fundo do pequeno saco era pouco para uma família de sete, mas teria de ser suficiente para durar um mês. A idéia foi um banho de sobriedade para uma criança tão pequena e apaixonada por doces. Minha mãe não fez o menor discurso sobre o acontecido, a menor fanfarra. Não pregou sobre a honestidade. Para ela, aquele fora um ato natural, de acordo com a integridade com a qual meu pai e ela viveram as suas vidas.

Hoje, tenho noventa e dois anos. Há muito não sou mais aquela criancinha que olhava por cima da mesa da cozinha da mãe, na pontinha dos pés. Muitas coisas mudaram durante a minha vida. Ainda faço bolos quando tenho visitas, mas hoje uso misturas prontas porque não agüento mais ficar em pé tanto tempo. Também não preciso mais usar o fogão à lenha. E, certamente, não há a menor escassez de açúcar em nosso país.

Mas algumas coisas não mudam. E, assim, já contei a história sobre a honestidade incondicional de minha mãe inúmeras vezes para meus filhos, meus netos e até mesmo para os meus bisnetos. Mamãe era como uma daquelas abelhas que meu pai adorava seguir. Era fácil contar que sempre tomaria o caminho mais honesto nesta vida, uma linha reta, precisa como uma flecha. E foi por isso que moldou, sem alardes, a consciência de quatro gerações de uma mesma família.

MILDRED BONZO

Quando mamãe veio para o chá

Eu não tinha idéia de que ela estaria ali. Já tinha até ensaiado as desculpas para sua ausência.

Quando minha professora de economia doméstica anunciou que haveria um chá formal para mães e filhas na escola, eu tinha certeza de que minha mãe não estaria presente.

Assim, não vou me esquecer da minha surpresa quando entrei no ginásio lindamente decorado e ela se encontrava lá! Olhei para minha mãe, sentada calmamente e sorrindo, e imaginei todas as manobras que aquela mulher extraordinária teve de fazer para participar comigo daquele chá.

Quem estaria tomando conta da vovó? Depois do derrame, ela dependia totalmente de mamãe.

Minhas três irmãs pequenas chegariam da escola antes de ela voltar. Quem as receberia e as ajudaria com os deveres?

Como conseguira chegar? Não tínhamos carro e ela não podia pagar um táxi. Teve de caminhar um bom pedaço até o ponto do ônibus, mais cinco quadras até a escola.

E ainda havia o lindo vestido vermelho com florezinhas brancas, bastante adequado para a ocasião. Ele destacava o prateado que começava a aparecer no seu cabelo escuro. Não havia dinheiro para roupas novas e eu sabia que ela fizera uma dívida na loja da nossa cooperativa para comprá-lo.

Fiquei tão orgulhosa! Servi-lhe o chá com o coração feliz e agradecido e a apresentei sem timidez ao grupo. Sentei-me à mesa com minha mãe naquele dia, exatamente como as outras meninas, e isso teve um imenso significado para mim. Seu olhar cheio de amor me dizia que ela entendera aquele sentimento.

Nunca me esqueci daquele chá. Uma das promessas que fiz para mim mesma foi de me empenhar ao máximo para estar sempre perto dos meus filhos. É uma promessa difícil de manter no mundo agitado de hoje, mas a lembrança do que se passou comigo e minha mãe, e da importância que isso teve em minha vida, serve de estímulo para qualquer esforço. Basta que eu pense no dia em que mamãe veio para o chá.

MARGIE M. COBURN

Maioridade

Lembro-me de ter lido uma vez, num livro sobre psicologia do desenvolvimento, que somente um pai ou uma mãe podem outorgar a maioridade a um filho. Na época, não entendi realmente o sentido dessas palavras. Hoje, acho que compreendo. Existe uma confirmação que só pode vir daqueles que nos deram a vida, que nos conhecem completamente desde que nascemos. Mesmo velhos, o poder dos pais em conceder essa confirmação não diminui. É um poder que beira o místico.

Minha mãe era uma mulher extremamente original. Profissionalmente, era uma contestadora. Seu maior interesse eram os cuidados com bebês e ela foi uma das pioneiras a reconhecer e respeitar a sabedoria inata das mães. Naquele tempo, essa era uma idéia vista com desconfiança pelos pediatras, uma profissão tão orgulhosa de sua nova ciência e tecnologia que, no meio do século, quase setenta e cinco por cento dos bebês norte-americanos eram alimentados por mamadeira. A maneira direta e sem rodeios pela qual minha mãe se expressava fazia com que ela também fosse vista com desconfiança.

Acredito que sei o exato momento em que me senti verdadeiramente adulta. Aconteceu num lugar público, na presença de um grande número de pessoas. Todavia, foi um momento inteiramente pessoal que ninguém testemunhou.

Eu era uma das duas mulheres e vários homens convidados para falar numa conferência cujo tema era "O Poder da Imaginação", um encontro pioneiro, com um dia de duração, sobre a relação entre a saúde da mente e do corpo. Foi em 1984, quando tais idéias eram bastante novas e pouco aceitas na comunidade médica. Entre as mil pessoas da platéia, poucos eram médicos.

Nessa ocasião, minha mãe já era velha e estava bastante doente. Dois dias antes da conferência, uma amiga me perguntou se eu planejava convidá-la. Surpresa, respondi que não havia pensado nisso, pois mamãe não se interessava pelo assunto. Minha amiga, que é japonesa e tem uma percepção mais refinada do que a minha, respondeu:

– É claro que não, Rachel. Mas ela se interessa por você.

Refleti um pouco e me dei conta de que minha mãe nunca me havia visto falar em público. Pensei nas dificuldades para levá-la até o auditório e no que aconteceria se ela tivesse um de seus freqüentes problemas cardíacos enquanto eu estivesse falando. Era um pensamento assustador e eu me senti tentada a esquecer a sugestão de minha amiga. Mas, por uma questão de justiça, perguntei a minha mãe se ela queria ir. Ela aceitou com entusiasmo.

Chegamos ao saguão com duas horas de antecedência. O problema cardíaco não a deixava andar longas distâncias sem descansar. Levei um bom tempo para conseguir acomodá-la no auditório vazio. Escolhemos uma cadeira no meio da décima fila. Quando o auditório começou a ficar cheio e eu me sentei no palco com os outros participantes, vi que ela abriu a bolsa e pegou alguns comprimidos. Senti um aperto no coração.

Quando chegou a minha vez de falar, expliquei qual era a diferença entre remediar e curar e falei sobre a nova técnica de imagens guiadas que ampliava a capacidade do ser humano de curar a si mesmo. Disse que a medicina que não reconhecia esse poder inato nas pessoas cometia um erro crucial. Essas eram idéias controvertidas na época. Para comprová-las, contei várias histórias colhidas na minha prática médica. Quase no final, arrisquei um olhar para minha mãe. Ela ouvia com muita atenção. Parecia estar bem. Fiquei aliviada.

Quando terminei de falar houve um completo silêncio. Eu já esperava por isso, pois na semana anterior muitos médicos de um hospital de São Francisco, ofendidos por essas mesmas idéias, retiraram-se antes do final das sessões clínicas das quais participei. Mas aquela não era uma platéia de médicos. De repente, ouvi aplausos e muitas pessoas chegaram a se levantar, entusiasmadas. Fiquei aturdida.

Somente uma mulher na décima fila permanecia sentada.

Seus braços estavam cruzados e havia um leve sorriso em seus lábios. Continuamos a olhar uma para a outra até que seus olhos se fecharam e ela fez um sinal com a cabeça duas vezes, lentamente. Jamais recebi qualquer reconhecimento igual a esse. Até hoje extraio dele uma grande força. Cinco meses depois desse dia, minha mãe estava morta.

RACHEL NAOMI REMEN
extraída do livro *As Bênçãos do Meu Avô*

A vida não precisa ser perfeita para ser maravilhosa.

ANNETTE FUNICELLO

Bilhetes de amor

Desde que meus filhos foram para a escola, eu lhes preparava o almoço e o colocava nas lancheiras. Em cada uma delas, eu punha um bilhete, muitas vezes escrito num guardanapo. Podia ser um agradecimento por um momento especial, uma palavrinha sobre algo ansiosamente esperado ou um encorajamento para um teste ou uma competição esportiva.

No primeiro grau, eles adoravam os bilhetes e comentavam sobre eles quando chegavam da escola. Quando voltei a lecionar, eles é que colocavam recadinhos nos meus lanches. Mas, quando chegou ao segundo grau, meu filho mais velho, Marc, me disse que não precisava mais de meus bilhetes diários. Respondi que eu os escrevia, na verdade, muito mais por mim do que por ele, e que, mesmo que não os lesse, eu precisava continuar escrevendo. Assim, mantive a tradição até sua formatura.

Seis anos depois de Marc ter concluído o segundo grau e ido estudar numa escola em outro estado, ele me telefonou um dia para saber se podia passar um tempo comigo. Meu filho estava bem, se formara com louvor, fizera dois estágios no Congresso, em Washington, conseguindo uma bolsa para a Câmara dos Deputados do Estado da Califórnia. Agora, era assistente legislativo em Sacramento. Sempre ocupado, suas visitas não eram freqüentes. Eu estava com muita saudade do meu filho e vibrei com a visita.

Duas semanas depois de Marc ter chegado, foi recrutado para uma campanha política. Como eu ainda preparava o almoço diariamente para o meu caçula, arrumei o de Marc também. Imaginem a minha surpresa quando recebi o telefonema de meu filho de vinte e quatro anos reclamando do almoço.

"O que eu fiz de errado? Não sou mais seu filho? Você não me ama mais, mamãe?" foram algumas das perguntas que ele me fez, enquanto eu ria e perguntava qual era o problema.

"Seu bilhete, mamãe", ele respondeu. "Não achei o seu bilhete."

Este ano meu filho caçula está terminando o segundo grau. Ele também me avisou que já passou da idade de receber bilhetes. Mas, como seus irmãos, ele vai receber meus bilhetes até se formar – e em qualquer pacote de almoço que eu lhe prepare, enquanto eu estiver viva.

ANTOINETTE KURITZ

O compromisso

Num domingo perto do Dia de Ação de Graças, Angus McDonnell, membro de minha congregação, falou-me do nascimento de seu neto, o "pequeno Angus Larry", e me pediu para oficiar a cerimônia de batismo. O conselho da igreja se mostrou relutante porque a família da criança vivia em outro estado, pois, ao batizar, assumimos o compromisso de apoiar e orientar aquela criança.

Mas a vontade de Angus prevaleceu e o batizado se deu no domingo seguinte, estando presentes os pais, Larry e Sherry, os avós, Angus e Minnie, e muitos outros familiares. Em nossa congregação há o costume de o pastor perguntar: "Quem é o responsável por esta criança?" Nessa hora, toda a família se levanta e permanece em pé durante o batismo. Então, com Angus Larry em meus braços, fiz a pergunta e todos os parentes se levantaram.

Depois da cerimônia, todos foram para casa e eu voltei à

igreja para apagar as luzes. Uma mulher de meia-idade estava sentada no banco da frente. Ela parecia procurar as palavras e se mostrava hesitante, sem sustentar meu olhar. Finalmente, disse chamar-se Mildred Cory e falou sobre a beleza da cerimônia de batismo. Depois de outra grande pausa, acrescentou: "Minha filha Tina acaba de ter um bebê. Deve ser batizado, não é?"

Sugeri que Tina e o marido me telefonassem para falarmos sobre o assunto. Mildred hesitou novamente e, me olhando de frente pela primeira vez, ela disse: "Tina não tem marido. Está com dezoito anos e foi crismada nesta igreja há quatro anos. Ela costumava vir para o encontro dos jovens, mas conheceu um rapaz que não estudava..."

Depois veio o resto da história: "... e então ficou grávida e resolveu ter o bebê. Ela quer batizá-lo na sua igreja, mas está temerosa de vir falar com o senhor, reverendo. Ela deu ao bebê o nome de James – Jimmy."

Levei o caso ao conselho da igreja. Fizeram-se algumas perguntas sobre o compromisso que Tina deveria assumir ao levar o bebê para ser batizado. Observei que, como ela e o filho viviam na cidade, nós poderíamos dar-lhes apoio.

O problema real era a imagem que todos tínhamos na cabeça: a jovem Tina, com o pequeno Jimmy nos braços, o pai ausente, Mildred Cory sendo a única a se levantar quando eu fizesse a pergunta. Doía em todos imaginar isso. Mas o conselho aprovou o batismo, marcado para o último domingo do Advento.

A igreja estava cheia, pois era o último domingo antes do Natal.

Tina percorreu rapidamente o corredor central, tremendo ligeiramente, com seu bebê de um mês nos braços. A imagem daquela jovem mãe tão sozinha mostrava como seria dura a vida daquele par.

Comecei o ofício e então, olhando para Mildred Cory, fiz a pergunta: "Quem dá apoio a esta criança?"

Fiz um sinal com a cabeça para Mildred e sorri indicando que se levantasse. Ela se levantou devagar, timidamente, olhando de um lado para o outro, e então me sorriu também.

Eu ia continuar a ler as orações, quando ouvi um movimento nos bancos.

Angus McDunnell se levantou com Minnie a seu lado. Então um outro casal de idosos se levantou. E a professora da sexta série da escola também. Mais um jovem casal e logo, ante meus olhos incrédulos, toda a comunidade estava de pé, apoiando o pequeno Jimmy, se comprometendo com ele.

Tina chorava e Mildred Cory se segurava no banco procurando se manter firme.

A escritura daquela manhã era de João:

Considerai com que amor amou o Pai, para sermos chamados filhos de Deus... Ninguém jamais viu Deus. Se nos amarmos uns aos outros, Deus permanece conosco e seu amor em nós é perfeito... No amor não há temor, pois o amor perfeito livra-se do temor.

Naquele batismo, essas antigas palavras se tornaram vivas, tomaram corpo e todos puderam sentir isso.

REVERENDO MICHAEL LINDVALL

BEM-VINDO AO JARDIM-DE-INFÂNCIA

Toda aquela choradeira.

Eu pensei que as mães nunca iriam embora.

A porta aberta

Quando você era pequeno e bastava estender a mão para tocá-lo,
eu usava cobertores para protegê-lo do frio da noite.
Mas agora que você cresceu e está fora de alcance,
junto minhas mãos e cubro-o com minhas orações.

DONA MADDUX COOPER

Em Glasgow, na Escócia, uma jovem, como muitos adolescentes de hoje, tinha problemas em casa, revoltada com os limites impostos pelos pais. Rejeitava os princípios religiosos da família e um dia declarou: "Não quero seu Deus. Desisto, vou embora."

Saiu de casa, decidida a ser uma mulher do mundo. Mas logo viu que não era tão fácil viver sozinha e, incapaz de arrumar um trabalho, acabou por se prostituir para sobreviver. Os anos se passaram e ela continuou em sua vida irregular. Seu pai morreu, sua mãe envelheceu.

Durante esse tempo, não houve contato entre mãe e filha. Tendo ouvido falar do paradeiro da moça, a mãe foi até a zona de prostituição da cidade, tentando encontrá-la. Parou em cada uma das igrejas que auxiliam carentes, pedindo apenas: "Eu poderia deixar aqui este retrato?" Era uma fotografia daquela mãe grisalha e sorridente, com uma mensagem manuscrita: "Eu ainda a amo... venha para casa!"

Passaram-se mais alguns meses e nada aconteceu. Então, um dia, a jovem foi à igreja pedindo algo para comer. Sentou-se, distraída, assistindo ao ofício, quando seu olhar bateu no quadro de avisos. Ao ver o retrato, pensou: "Poderia ser minha mãe?"

Não conseguiu esperar o final da cerimônia. Aproximou-se do quadro e leu a mensagem: "Eu ainda a amo... venha para casa!" Reconhecendo a mãe no retrato, ela chorou. Era bom demais para ser verdade.

Já era noite, mas, tocada por aquelas palavras, a jovem foi caminhando até sua casa. Quando chegou, o dia amanhecia. Temerosa, aproximou-se timidamente, sem saber exatamente o que fazer. Quando bateu à porta, esta se abriu sozinha. Chegou a pensar que alguém a arrombara. Preocupada com a mãe, correu para o quarto, mas a senhora dormia. A filha a acordou, dizendo: "Sou eu, sou eu, voltei para casa!"

A mãe não podia acreditar. Em prantos, abraçou-se à filha, que disse: "Fiquei tão preocupada! A porta estava aberta e pensei que alguém tinha entrado!"

A mãe respondeu docemente: "Não, querida. Desde o dia em que você se foi, a porta nunca esteve fechada."

ROBERT STRAND

Um coração clemente

Esta manhã, eu estava com pressa de chegar em casa após realizar algumas pequenas tarefas na rua. Ao dobrar à direita para entrar no meu bairro, que fica um pouco escondido por trás de arbustos, um garotinho de camiseta amarela passou como um raio na frente de meu carro. Estava de pé, equilibrado sobre os pedais da bicicleta vermelha, as pernas trabalhando como bombas hidráulicas, ignorando por completo a minha existência – ou a existência de qualquer perigo –, seguríssimo por trás da invencível imortalidade de um menino.

Ele passou, literalmente, a centímetros de meu pára-choque. Pisei violentamente no freio, um reflexo físico sem nexo – uma vez que ele já se fora, há muito. Eu tremia e levei algum tempo para recuperar o fôlego. Em um terrível instante, a vida daquele menino poderia ter terminado. Seus pais teriam passado o resto da vida com uma imensa dor e a minha própria vida teria se transformado num pesadelo.

Continuei pela rua, relembrando o rosto do menino. Sob a lente de aumento de meu medo, podia visualizar, claramente, os olhos arregalados num misto de bravata e de pavor, o sorriso desdenhoso, iluminado por mais um triunfo sobre o enfadonho mundo da preocupação adulta. Ele era tão admiravelmente vigoroso, de tal forma intrépido, que o meu choque em quase tê-lo matado foi imediatamente substituído por raiva, beirando a ira.

Transtornada de fúria – com a falta de atenção dele, não com a minha –, fui para casa. A agitação causada por quase ter atropelado aquele menino me perturbou pelo resto do dia. Então, no crepúsculo, lembrei-me de Mikey.

Quando era pequena, Mike Roberts era meu melhor amigo. Meu pai era médico numa cidadezinha ao longo do rio Ohio e meus pais eram muito próximos dos de Mike. Na realidade, a casa deles ficava a um terreno baldio de distância da clínica de papai.

Mikey, como o chamávamos, era aventureiro e audacioso. Sua mãe, Judy, era muito afável conosco, as crianças, e fazia os melhores biscoitos de manteiga de amendoim do universo. Jamais trancavam as portas e eu tinha toda a liberdade naquela casa.

Numa sexta-feira, minha mãe planejava ir a Cincinnati fazer compras e disse que eu deveria passar o dia na casa dos Roberts. Judy estava à minha espera. Não era para eu me empanturrar de biscoitos ou andar de bicicleta na rua.

Quando ela saiu naquela manhã, parti de bicicleta para a casa dos Roberts. Estava a uns cinqüenta metros da curva que levava à rua de Mikey quando ouvi um barulho que, às vezes, ainda ouço em meus sonhos. Era o feroz guincho de pneus quando alguém pisa no freio com tudo. O som me pareceu durar uma vida, embora, em retrospecto, tenha certeza de que se calou rapidamente. Seguiu-se então o barulho estridente de metal sendo esmagado. Como um relâmpago, parti em minha bicicleta e dobrei a esquina à toda.

Havia um caminhão quase emborcado na rua. Um pouco à frente do pára-lama via-se a Schwinn vermelha de Mikey de tal forma retorcida, que parecia a metade de uma bicicleta, os dois pneus agora achatados, um contra o outro.

Mikey estava deitado na grama com um brutamontes curvado sobre ele. Saltei da bicicleta, deixei-a cair e corri para o local onde o meu amigo se encontrava, silencioso e imóvel sobre um tapete de folhas. No mesmo instante, a porta da frente da casa dele se abriu e sua mãe saiu. Acho que nunca vi alguém correr tão rápido. Ao mesmo tempo surgiu uma maca de dentro da clínica de meu pai, seguida de papai e de um ajudante.

Uma multidão se formou, imediatamente. Judy ajoelhou-se ao lado da cabeça de Mikey. Papai disse a Judy que não mexesse no filho e se curvou para examiná-lo. O motorista do caminhão deixou-se cair sentado, pesadamente, a alguns metros dali. Devia pesar mais de noventa quilos. Tinha ombros largos e arredondados e um pescoço grosso com rugas profundas que luziam com gotas de suor. Usava um macacão azul e uma camisa quadriculada de vermelho.

Ficou sentado no gramado como um touro atordoado. A cabeça repousava nos joelhos dobrados e os ombros tremiam, embora eu não achasse que estivesse chorando.

Cravei os olhos naquele homem, tentando fazê-lo sentir o quão fula eu estava. Aposto que não estava prestando atenção, pensei. Uma falha bastante comum entre os adultos que eu conhecia. Muitas vezes me davam a impressão de desatenção e este daqui havia machucado o meu amigo. Eu sentia vontade de machucá-lo de volta de alguma forma indizível.

Dali a alguns minutos, Mikey voltou a si e desatou a chorar. Meu pai o imobilizou numa padiola e colocou-o sobre a maca. Judy pegou a mão de Mikey e todos avançaram para a entrada de emergência da clínica. Fui deixada a sós com o motorista de caminhão, que agora se encontrava sentado com a cabeça baixa sobre os braços cruzados. Seu corpo ainda tremia, como se estivesse com calafrios.

Ficamos ali sentados em silêncio durante o que me pareceu ser uma eternidade. Então Judy saiu pela entrada principal da clínica e caminhou em nossa direção. Relatou que Mikey ficaria bem. Só machucara o braço. Poderia ter sido muito pior.

Achei que ela, certamente, acertaria um tapa na cara do caminhoneiro ou que, pelo menos, falaria com ele de maneira severa. Mas o que ela fez, de fato, me deixou perplexa. Pediu-lhe que a acompanhasse até a sua casa.

– E você também – disse, dirigindo-se a mim.

Perguntou ao motorista seu nome e disse-lhe que se acomodasse diante da lareira, que ia buscar um café. Ele ergueu a mão dispensando a oferta, mas ela trouxe o café ainda assim – além de leite e de biscoitos para mim. Stan, o motorista, não conseguia comer ou beber nada. Permaneceu sentado na poltrona azul, preenchendo-a por completo. De vez em quando começava a tremer e Judy passava o braço por cima de seu ombro e lhe dizia, com aquela voz maravilhosamente suave:

– Você não teve culpa. Não estava em alta velocidade. Mikey se arrisca estupidamente e eu sinto muito quanto a isso. Só fico grata por ele não ter se ferido gravemente. Eu não o culpo. E você também não deveria se culpar.

Escutei o que ela dizia, incrédula. Como podia ela dizer aquelas coisas para um homem que quase matara o seu filho, o meu amigo? O que poderia haver de errado com ela? Dali a pouco, ela conseguiu acalmar o motorista um pouco – pelo menos foi o que achei – e ele se levantou para ir embora.

Ao chegar à porta, virou-se para ela e disse:

– Eu também tenho um filho. Imagino o que deve ter lhe custado me ajudar.

Então, só para acrescentar mais um assombro ao dia, Judy ficou na pontinha dos pés e beijou-lhe a face.

Eu jamais conseguira compreender como Judy fora capaz de oferecer alívio e consolo para um homem que não havia matado o seu filho por muito pouco... até hoje, quando fiz a curva para entrar naquele bairro tão familiar e passar a centímetros daquilo que teria sido um ato terrível e irreversível.

Ainda tentando me livrar do pavor que ocupara a minha

mente o dia todo, pensei na mãe de Mikey e naquele dia de outono, há tanto tempo. E muito embora não houvesse ninguém ali para me consolar, para me dizer que não havia sido minha culpa, que coisas ruins acontecem por mais cuidado que se tenha, as recordações daquele dia transpuseram o tempo para me ajudar.

A empatia daquela mãe, assim como todas as dádivas concedidas por bondade, jamais deixou o mundo e pôde ser convocada para consolar e curar. E assim continuará a ser... quem sabe, para sempre.

W.W. MEADE

O dia em que tudo deu errado

Quando uma falha ocorre, há apenas atraso, mas não derrota.
É um desvio temporário, mas não um beco sem saída.
WILLIAM ARTHUR WARD

Toda vez que, como mãe, eu preciso de ajuda, me lembro de minha própria mãe e de minha avó, mulheres que plantaram sementes de sabedoria na minha alma.

Num dia daqueles, cheguei em casa e encontrei um insolente segundo aviso de uma conta de gás que não fora paga e meus três filhos quase a nocaute.

Tommy, de onze anos, reclamava de um corte de cabelo malfeito. Teve de agüentar os meninos o chamando de "carequinha", ele me contou, escondendo a cabeça com as duas mãos.

Lisa estava desolada: apesar de ter estudado tanto para o teste final da segunda série, errara duas palavras.

Jenni, no primeiro ano, fora traída por sua risada nervosa na hora da leitura e tropeçara numa frase.

Olhei aquelas três carinhas desconsoladas com a maior ternura e a imagem de minha avó apareceu sorrindo em minha cabeça:

"Muito bem, queridos, sabem que dia é hoje? É 'um dia em que deu tudo errado'. Vamos festejar!"

Eles me olharam, surpresos e curiosos. Continuei: "Minha avó sempre dizia que aprendemos mais com nossos erros do que com nossos sucessos. Ela falava que quanto mais uma pedra se desgasta pela ação do tempo, mais longe ela vai ricochetear. Vamos ao McDonald's para nossa primeira 'festa do dia em que deu tudo errado'."

Essa foi a primeira de muitas outras festas por coisas que deixaram de dar certo. Procurávamos o que podíamos comemorar em meio a tragédias, em vez de nos angustiarmos pelo que tínhamos sofrido.

Espero ter plantado nas almas de meus filhos as sementes reunidas pela sabedoria das mulheres que me antecederam. E que essas sementes se espalhem nos seus próprios jardins um dia.

JUDITH TOWSE-ROBERTS

A madrasta

Desde nosso divórcio amigável há alguns anos, Eric e eu ficamos bons amigos. Entramos em acordo quanto às regras de educação e às visitas ao nosso filho Charley, que se beneficiava desse nosso equilíbrio. Ele parecia bem ajustado e feliz.

Assim, quando conheci a noiva de Eric, que, afinal, ia se tornar a madrasta de meu filho, fiquei um pouco nervosa. Não havia dúvida de que Bonny teria influência sobre a vida de Charley. O que me desagradou na época foi a influência que ela teria na minha vida.

No nosso primeiro encontro fiquei impressionada em como éramos diferentes. Suas roupas tinham um ar de "vestida para o sucesso", enquanto eu fazia o gênero "desinteresse amarrotado". Ela era atraente, serena e segura, enquanto eu era desalinhada, nervosa e tagarela. Eu me sentia desconfortável e desconfiada, prestando atenção em todos os seus maneirismos e inflexões, avaliando-a como futura madrasta de Charley. Meu pensamento basicamente era: "O que ela vai fazer com meu bebê?"

Até então eu tinha várias fantasias sobre a pessoa com quem meu "ex" se casaria um dia. Uma delas era que ela seria uma bruxa malvada, uma megera furiosa de quem meu filho fugiria gritando. Ele correria para mim, naturalmente, sua mãe de verdade, dona de infinita sabedoria e paciência, como só uma mãe pode ter. Havia outra hipótese assustadora: a madrasta seria tão legal que um dia eu ouviria meu filho me anunciando: "Não vou para casa hoje, mamãe. Bonny tem um camarote para assistir ao campeonato de futebol."

De qualquer forma, havia uma pessoa que estava para se tornar a outra mãe de meu filho e tudo que eu podia fazer era observar e esperar.

Com o tempo me tornei menos desconfiada e mais natural em relação a Bonny. Ela ficou menos profissional e mais familiar em relação a mim. Nós nos entendemos entre a rotina de horários de pegar e levar Charlie, estar presentes a reuniões de pais e assistir a jogos de futebol.

Então, uma noite, meu novo marido e eu convidamos Bonny e Eric para um café depois de uma reunião de pais. Charley adorava nos ver todos juntos e estava feliz. Durante a noite, tensões e pretensões se derreteram. Bonny e eu baixamos nossas defesas e falamos mais francamente. Em vez de "ex-mulher" e "madrasta", éramos agora apenas amigas.

Alguns meses depois, nós quatro nos reunimos para falar da

formatura de Charley. Em vez de trazer seus esquemas, listas e dados – como se apresentasse um projeto ante um comitê –, Bonny confessou sua vulnerabilidade. Falou de suas inseguranças e ansiedade em lidar com um adolescente como Charley. Estava exigindo demais ou pedindo de menos? Estava pressionando-o ou mimando-o?

Meu coração se abriu para ela. Afinal, seus pensamentos e temores eram iguais aos meus. Ela estava pensando, sentindo e se comportando como mãe – o que ela se tornara.

Assim, a segunda mãe de Charley nem é a bruxa má, que magoaria meu filho, nem uma fada madrinha, que o roubaria de mim. Ela é uma mulher que o ama, se preocupa com ele, lutaria por ele e o protegeria do mal.

Em vez de me preocupar com a aparência de Bonny, passei a ser agradecida por sua presença na vida de Charley e na minha. A visão que ela tem das coisas, suas idéias e até suas listas ajudaram a criar meu filho.

Eu estava errada em querer manter Charley grudado em mim, como um brinquedo. Eu não queria dividir. Talvez eu tenha sido a primeira a amá-lo, mas isso não significa exclusividade. Descobri como é importante que meu filho seja cercado de afeto. Agora há mais uma mulher no mundo cuidando dele de forma especial. E, por isso, com alegria, divido o título de mãe.

JENNIFER GRAHAM

Os setenta e cinco anos de mamãe

Ela secretamente deseja um balão de oxigênio como presente.

Através dos anos, ela gritou, falou e rezou "Jesus, Maria, José, me dêem paciência" 1.245.187 vezes.

Suas mãos penduraram fraldas em varais de roupa, esterilizaram mamadeiras, carregaram bebês, passaram roupinhas e orgulhosamente empurraram carrinhos.

Ela descascou mais batatas do que seis soldados em serviço.

Seu cabelo passou por várias fases: permanente, tintura com cápsulas colorantes, coque, outro permanente, tinta prateada.

Recebia visitas na "sala", guardava as compras na "despensa", o sorvete na "geladeira" e terça-feira era dia de usar a "máquina de lavar".

Ela se graduou em cuidados com crianças através de sarampo, catapora, cachumba, pneumonia, pólio, tuberculose, febres, cortes, gripes, braços quebrados e corações partidos.

Volta e meia seu armário abrigava vestidos, chapéus enfeitados, luvas brancas, saias curtas e longas, vestidos vaporosos, tecidos de forros, roupas de domingo e brinquedos de Natal encomendados pelos catálogos da Sears.

Seu coração conheceu o êxtase do amor por um homem, a alegria dos filhos, o amargor de seus erros, o calor dos amigos, a celebração dos casamentos, a bênção de netos e bisnetos.

Quem pode contar quantas escadas esfregou, os jantares que preparou, quantos presentes embrulhou, as lições que tomou, as histórias que leu para as crianças dormirem, quantas desculpas ouviu e quantas orações elevou a Deus?

Seus braços ninaram gerações de bebês. Suas mãos prepararam incontáveis pratos "favoritos". Seus joelhos se dobraram para rezar, muitas e muitas vezes, por aqueles que amava. Beijou muitos machucados que doíam e suas costas se curvaram para dar banho em *cowboys* sujos, catou muita roupa espalhada de adolescente, colheu muitas flores do jardim e envelheceu.

Passou pela vida com risos e lágrimas, vendo o pôr-do-sol de ontem se tornar o amanhecer de esperança e promessa. Por causa dela e do marido, a vida de família e amor continuou por gerações.

Quando uma mãe faz setenta e cinco anos, abençoados são aqueles que a rodeiam com seu amor.

ALICE COLLINS
apresentada por Geraldine Doyle

Atenção! Beijos e abraços antes de

"O que é que você trouxe pra gente, vovó?".

Jantar de família

Olhei para meus filhos gêmeos adolescentes e tive vontade de chorar. Ele de calças bufantes, cabelo cor de laranja e brincos. Ela com uma argola no nariz, tatuagem temporária e unhas pintadas das cores mais estranhas.

Era Pessah e íamos a um jantar de família. O que as pessoas diriam? Já podia imaginar tios e tias murmurando comentários, olhando e meneando as cabeças em desaprovação.

Eu podia ter iniciado uma discussão ali mesmo, na porta. Poderia ter ameaçado, ridicularizado, me recusado a sair. Mas para quê? Não queria causar problemas nem usar palavras agressivas naquele dia.

Teria sido mais fácil se ainda tivessem nove anos. "Voltem para seus quartos e se vistam adequadamente", eu diria. Mas tinham dezesseis anos e, para eles, suas roupas eram perfeitamente adequadas.

E lá fomos nós. Eu estava pronta para os olhares, mas eles não vieram. Estava pronta para os comentários, mas não foram feitos. Meus filhos se sentaram (a princípio meio desconfortáveis) à mesa de vinte lugares, bem ao lado de seus primos impecavelmente arrumados.

Participaram das orações e dos cantos. Meu filho ajudou os primos mais novos nas leituras. Minha filha ajudou a trocar os pratos na hora da sobremesa.

Eles riram, brincaram e ajudaram a servir o café para os mais velhos.

Percebi, enquanto constatava como eram bonitos e simpáticos, que não devia me importar com o que os outros pensassem. Para mim, eles eram o máximo. Estavam respeitando nossas tradições com entusiasmo e se relacionavam com a família de forma amorosa. Isso vinha naturalmente – de seus corações.

Sentada em frente a eles, eu os observava. Soube naquele momento que os cabelos, as roupas e as tatuagens eram só afirmação de adolescente. Isso mudaria com o tempo. Mas sua participação nas orações da nossa festa e a união de nossa família permaneceriam para sempre nos seus corações. Mesmo quando fossem mais velhos, isso nunca iria mudar.

Logo a celebração do Pessah terminaria. A música muito alta, os amigos e o grande tumulto voltariam à nossa vida. Eu gostaria que essa noite especial não terminasse. Foram momentos preciosos que só as mães podem compreender. Acho que não importa a idade dos filhos. Às vezes é apenas um sorriso rápido e engraçado ou um pequeno gesto que faz cintilar em nós um sentimento avassalador de amor absoluto.

Observando meus filhos, senti que estavam alegres e em paz. Tive vontade de abraçá-los e dizer como os achava incríveis. Mas não fiz isso. Queria beliscar suas bochechas como fazia quando tinham nove anos e dizer o quanto os achava bonitos. Mas também não fiz isso. Fiquei no meu lugar, cantei, comi e conversei com os outros.

Mais tarde, em casa, eu lhes diria. Sozinha com eles, diria o que representara terem ido à festa. Como eram sensacionais e como estava orgulhosa de ser sua mãe.

Mais tarde, sozinha com eles, eu diria o quanto os amo. E foi isso que fiz.

SHARI COHEN

Sabedoria de Salomão

Certo dia, duas prostitutas apresentaram-se diante do rei Salomão e uma delas disse:

– Ó rei Salomão! Eu e esta mulher moramos na mesma casa. Eu dei à luz um menino e ela estava lá comigo. Dois dias depois do nascimento do meu filho, ela também deu à luz um menino. Somente nós duas estávamos na casa; não havia mais ninguém lá. Uma noite ela rolou sem querer sobre seu filho e o sufocou. Então levantou-se durante a noite, enquanto eu dormia, pegou o meu filho e o colocou na cama dela. Depois colocou o menino morto nos meus braços. No outro dia de manhã, quando eu me levantei para dar de mamar ao meu filho, vi que estava morto. Porém, quando reparei bem, percebi que não era o meu filho.

Mas a outra mulher disse:

– Não é verdade. Pelo contrário, meu filho é o que está vivo, e o seu é o que está morto!

E a primeira mulher respondeu:

– Não é, não! A criança morta é a sua, e a viva é a minha!

E foi assim que discutiram na frente do rei.

Então o rei Salomão disse:

– Cada uma de vocês diz que a criança viva é a sua, e que a morta é da outra.

Então mandou buscar uma espada e, quando a trouxeram, disse:

– Cortem a criança viva pelo meio e dêem a metade para cada uma destas mulheres.

A verdadeira mãe do menino, com o coração cheio de amor pelo filho, disse:

– Por favor, Senhor, não mate o meu filho! Entregue-o a esta mulher!

Mas a outra disse:

– Podem cortá-lo em dois pedaços! Assim ele não será nem meu nem seu.

Aí Salomão disse:

– Não matem a criança! Entreguem o menino à primeira mulher porque ela é a mãe dele.

Todo o povo de Israel soube dessa decisão do rei Salomão, e aí todos sentiram um grande respeito por ele, pois viram que Deus lhe tinha dado sabedoria para julgar com justiça.

LIVRO DOS REIS

Movendo montanhas

Havia nos Andes duas tribos em guerra. Uma vivia na parte baixa; a outra, na parte alta das montanhas.

Um dia, a parte baixa foi invadida pelos povos do alto, que, além de saquearem os inimigos, raptaram um bebê e o levaram para as montanhas.

Os povos da parte baixa não conheciam os caminhos usados pelos povos da montanha. Não sabiam como chegar ao alto, como chegar aos inimigos ou rastrear seus passos pelos terrenos escarpados.

Mesmo assim, enviaram seus melhores guerreiros para subir a montanha e trazer a criança de volta.

Os homens tentaram diferentes métodos de escalada. Primeiro um caminho, depois outro. Após vários dias de esforços, não tinham subido nem quinhentos metros.

Sentindo-se impotentes e sem esperança, os homens da parte baixa consideraram a causa perdida e se prepararam para voltar para sua cidade.

Enquanto arrumavam o equipamento para a descida, viram a mãe do bebê andando na direção deles. Perceberam que ela estava descendo a montanha que eles não tinham conseguido subir.

E então descobriram que o bebê estava amarrado às costas da mulher. Como era possível?

Um dos homens a saudou, dizendo: "Nós não tivemos êxito em subir a montanha. Como você chegou ao alto se nós, os homens mais fortes e capazes da cidade, não conseguimos?"

Ela encolheu os ombros e respondeu: "É que não era o filho de vocês que estava lá."

JIM STOVALL
Bits & Pieces

O dia em que eu estava tão ocupada

"Mamãe, veja!", gritou minha filha de sete anos, Darla, apontando para um filhote de falcão planando no ar.

"Hum, hum", murmurei, enquanto dirigia, pensando no horário apertado daquele dia.

Seu rostinho mostrava decepção.

"O que foi, querida?", perguntei, completamente absorta em meus pensamentos.

"Nada", respondeu Darla. O momento se fora. Perto de casa, diminuí a velocidade para tentar ver o coelhinho que toda noite aparecia vindo de trás das árvores, mas ele não estava lá.

"Esta noite ele está muito ocupado", eu disse.

Em casa, as tarefas me esperavam: jantar, banho, telefonemas, arrumações. Até que chamei Darla para dormir. Ela subiu as escadas correndo. Cansada, beijei seu rosto, rezamos e a coloquei na cama.

"Mamãe, esqueci de lhe dar uma coisa!", ela disse.

"Deixa para dar amanhã", respondi, impaciente.

Mas ela balançou a cabeça e retrucou: "Você não vai ter tempo amanhã!"

"Vou sim!", respondi, na defensiva.

Às vezes, por mais que tentasse, o tempo me escorregava entre os dedos como areia numa ampulheta. Nunca era suficiente. Nem para minha filha, nem para meu marido, nem para mim.

Ela ainda não desistira. Franziu o narizinho pintado de sardas numa careta e jogou o cabelo castanho para trás.

"Não vai não! Vai ser como hoje, quando eu falei para você olhar o falcão. Você nem prestou atenção!"

Eu estava muito cansada para discutir e ela chegara bem perto da verdade.

"Boa noite", fechei a porta do quarto dela com força.

Mais tarde, me lembrando de seu olhar azul-acinzentado, pensei que daqui a pouco ela cresceria e iria embora.

Meu marido perguntou por que eu estava tão abatida e lhe contei.

"Talvez ela ainda esteja acordada. Por que você não vai lá?", ele falou, exercendo seu papel de pai.

Segui seu conselho, preferindo que a idéia tivesse sido minha.

Abri a porta e a luz vinda da janela iluminava a cama. Nas mãos de Darla, um papel amassado. Devagar, abri sua mão para saber a causa de nosso desentendimento.

Fiquei com os olhos cheios d'água. Ela rasgara em pedacinhos um grande coração vermelho com um poema intitulado "Por que Amo Minha Mãe!".

Catei os pedacinhos, montei o quebra-cabeça e li:

Por que Amo Minha Mãe!

Mesmo tendo tanta coisa pra fazer e trabalhando tanto,
Você sempre encontra tempo pra brincar.
Amo você, mamãe,
Porque sou a parte mais importante do seu dia tão ocupado!

As palavras foram como uma flecha direta no meu peito. Com sete anos, minha filha tinha uma sabedoria extraordinária.

Dez minutos depois, levei até seu quarto uma bandeja com duas xícaras de chocolate quente e dois sanduíches com seu recheio favorito. Quando toquei de leve no seu rosto, senti meu coração transbordar de amor.

Ela acordou piscando com seus lindos cílios e olhou para a bandeja.

"Para que isto?", perguntou, confusa com a invasão noturna.

"É para você, que é a parte mais importante do meu dia tão ocupado."

Ela sorriu e, sonolenta, bebeu a metade do seu chocolate. Então voltou a dormir. Fiquei ali um longo tempo, acariciando o seu cabelo, dizendo o quanto a amava e como achava lindo que a minha filhinha de sete anos pudesse me ensinar coisas tão fundamentais.

CINDY LADAGE

A melhor herança que os pais podem dar a seus filhos são alguns minutos de seu tempo todos os dias.

O. A. BATISTA

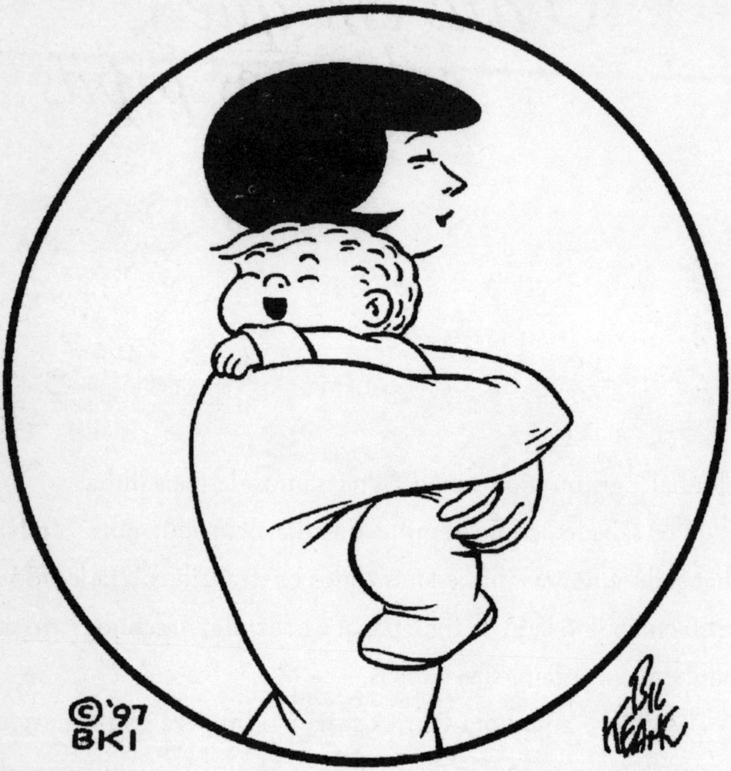

Este é o meu lugar favorito.

Dentro do seu abraço.

O dia em que soltamos pipas

"Linha!", gritou meu irmão. "Precisamos de mais linha!'

Era sábado, como sempre um dia ocupado, pois "Trabalharás durante seis dias e farás todos os trabalhos" era levado a sério então. Do lado de fora, papai e o vizinho, o senhor Patrick, também cumpriam suas tarefas.

Mamãe e a senhora Patrick faziam a limpeza da primavera. O vento tornava aquele dia de março ideal para arrumações de armário. As roupas de lã já balançavam no varal do quintal.

De alguma forma, os meninos tinham conseguido ir para o morro atrás da casa com suas pipas. Agora, mesmo com o risco de deixar meu irmão encurralado e obrigado a bater tapetes, eles o mandaram pegar mais linha. Aparentemente não havia limites para a altura que as pipas poderiam alcançar.

Mamãe olhou para a sala, a mobília desarrumada esperando

uma limpeza espartana. Mas seus olhos se dirigiram à janela: "Venham, meninas! Vamos levar linha para os garotos e vê-los soltar as pipas!" No caminho, encontramos a senhora Patrick rindo com um ar de culpa, as filhas ao lado.

Nunca houve um dia tão bom para soltar pipas. Deus não faz dois dias iguais no mesmo século. Pusemos toda a linha extra nas pipas dos meninos e elas continuavam a subir. Mal podíamos distinguir os pontos cor de laranja no céu. De vez em quando, puxávamos a linha devagar, fazendo-as mergulhar, apenas para ter a alegria de vê-las subir de novo. Que emoção correr com elas, para a direita, para a esquerda, percebendo que nossos pequenos movimentos em direção ao chão refletiam-se minutos depois na majestosa dança das pipas no céu! Escrevemos desejos em pedaços de papel e os encaixamos na linha. De forma lenta e irresistível, eles subiram até alcançar as pipas. Com certeza seriam desejos realizados.

Até nossos pais largaram enxadas e martelos e se juntaram a nós. Nossas mães também brincaram, rindo como estudantes. Seus penteados se desfizeram e os cachos caíram sobre seus rostos, seus aventais riscadinhos batendo em suas pernas.

Misturada à nossa alegria havia alguma coisa que causava admiração: os adultos estavam brincando conosco! Olhei para mamãe e a achei realmente bonita. E ela já tinha mais de quarenta anos! Não sentimos o tempo passar no alto da montanha. Não existia o tempo, apenas a brisa dourada. Estávamos além de nossos corpos. Os pais esqueceram seus deveres e brincaram sem qualquer vergonha. As crianças esqueceram disputas e implicâncias. Talvez seja assim o reino do céu, pensei, confusa.

A tarde caía e nós, bêbados de sol e ar, voltamos cambaleantes e sonolentos para casa. Acho que fizemos um lanche. Acho que foi feita uma limpeza superficial, mas a casa, no domingo, até que estava arrumada.

O estranho é que nós nunca mencionamos este dia depois. Eu me sentia um pouco envergonhada. Com certeza, a experiência tinha sido mais profunda para mim do que para os outros, e tranquei a lembrança lá no fundo, onde guardamos "as coisas que não podem ser e mesmo assim são".

Passaram-se os anos e um dia eu estava ocupada na cozinha enquanto minha filha de três anos insistia em "ir ao parque ver os patos".

"Não posso!", eu disse. "Tenho muitas coisas para fazer e, quando terminar, vou estar cansada para ir tão longe."

Minha mãe, que nos visitava naquele momento, parou um instante de descascar as ervilhas e disse: "Está uma manhã linda, quente, mas com uma brisa que me faz lembrar aquele dia em que soltamos pipas."

Parei entre o fogão e a pia. A porta trancada se abriu e trouxe um jorro de lembranças. Tirei meu avental e disse à minha filha: "Vamos. Vovó tem razão. O dia está muito bonito para se desperdiçar."

Passou-se uma década. Estávamos no pós-guerra. Durante toda a noite ouvimos o filho mais jovem do senhor Patrick contar suas experiências de prisioneiro num campo de concentração. Depois de falar bastante, ficou em silêncio. Estaria pensando nas duras situações que enfrentou?

De repente, com um sorriso nos lábios, ele disse: "Ei! Vocês lembram... não, claro que não. Não deve ter deixado em vocês a mesma impressão que deixou em mim."

Tive até medo de perguntar: "Lembrar o quê?"

"No campo de prisioneiros, naquela situação tão terrível, eu me lembrava sempre daquele dia. Vocês lembram o dia em que soltamos pipas?"

Chegou o inverno e eu tinha a espinhosa missão de visitar a senhora Patrick, que ficara viúva. Era difícil. Não podia imaginá-la enfrentando a vida sozinha.

Conversamos um pouco sobre as famílias e sobre as mudanças na cidade. Então, ela ficou em silêncio, olhando para o colo. Limpei a garganta, me preparando para falar sobre sua perda e vê-la chorar.

Quando levantou o rosto, ela sorria: "Eu estava aqui sentada, pensando. Henry se divertiu tanto naquele dia. Frances, você se lembra do dia em que soltamos pipas?"

FRANCES FOWLER
apresentada por Ruth Rogness

A boneca quebrada

Eis como uma amiga me contou a história passada com sua filha.

Preocupada com sua demora em chegar da escola, eu estava aborrecida quando ela finalmente apareceu. Com a voz zangada, pedi que explicasse a razão do atraso.

Ela disse: "Mamãe, eu estava vindo a pé com Julie quando, no meio do caminho, ela deixou cair a boneca, que se partiu em mil pedaços."

"Ah, meu bem", respondi, "você se atrasou porque foi ajudar Julie a tentar colar os pedaços da boneca."

Com sua vozinha inocente, minha filha disse: "Não, mamãe, eu não sabia como consertar a boneca. Só fiquei lá para ajudar Julie a chorar."

DAN CLARCK

Além do controle

Quando tocaram a campainha naquela tarde, abri a porta meio entorpecida. Era a pior hora para aparecer alguém! Um homem de rosto simpático se apresentou: viera consertar o sistema de alarme.

No quinto mês de gravidez, eu estava com os nervos à flor da pele, esperando o telefone tocar. Minha paz de espírito poderia vir da notícia que aguardávamos.

Durante um ano e meio nós tínhamos tentado ter um bebê, chegando a fazer testes de fertilidade, sem um resultado conclusivo. Finalmente fiquei grávida.

O primeiro trimestre transcorreu normalmente, a não ser pelos enjôos matinais, que eu sabia serem temporários. Esperava ansiosa pelas consultas médicas, para saber cada vez mais sobre nosso filho. Então quando o médico perguntou se eu queria fazer um exame de sangue que detectaria algum eventual problema, concordamos imediatamente. Chegando os resultados, o médico me telefonou e, com um tom profissional, embora preocupado, disse que havia sugestão de síndrome de Down. Para certificar-se, agendou um ultra-som e uma amniocentese.

Embora apreensivos, meu marido e eu nos emocionamos, pois pela primeira vez pudemos ver o bebê se mexer. Tudo se tornou real de repente: íamos mesmo ter um bebê, um menino! Não poderia haver nada de terrível com ele, não é?

Foi duro saber que os resultados demorariam duas semanas e que este período seria suficiente para pôr termo à gravidez de maneira segura. Mas, qualquer que fosse o resultado, para nós esta não parecia uma opção.

Não imaginava que duas semanas pudessem parecer uma eternidade. Eu tentava me distrair, pensar em outras coisas, mas as palavras "fora dos padrões de normalidade" ficavam se repetindo na minha cabeça. Rob ia para o trabalho e eu me sentia desamparada em casa.

Finalmente chegou o dia de saber o resultado. Nunca esquecerei meu nervosismo, em casa, sozinha, esperando o telefone tocar. Mas ele não tocava e lá pelo meio-dia não agüentei mais. Liguei para o médico, mas a enfermeira disse não ter ainda a resposta. Foi neste dia que o técnico veio consertar o alarme.

Quando a campainha tocou, eu estava a ponto de explodir. Como um autômato, deixei o técnico entrar e mostrei a ele o sistema de alarme, pensando: "Isso vai custar uma fortuna, aconteceu na pior hora."

Fui ensinada a acreditar que "Deus sabe a hora certa", mas essa fé dava sinais de estar abalada. Umas duas horas depois, a enfermeira ligou. Respirei fundo ao ouvir: "Temos uma notícia boa e uma ruim."

A boa era que nosso filho não tinha síndrome de Down. A ruim era que se apresentava um problema nos cromossomos. Se Rob e eu também tivéssemos o problema, nosso filho nasceria bem. Mas, caso contrário, significava que faltava alguma coisa na composição dos genes do bebê.

"Alguma coisa faltando?" Tentei não gritar. "Como assim? Isso quer dizer o quê?"

"Desculpe, senhora Horning, não se pode dizer o que há de errado com o bebê até ele nascer. Agora o melhor a fazer é a senhora vir aqui imediatamente com seu marido para um exame de sangue."

"Imediatamente? Podemos ficar sabendo hoje?"

"Podemos fazer o exame hoje e ter o resultado em cinco dias."

"Cinco dias?"

Foi quando perdi o controle. Não me lembro de ter chorado e gritado tanto em meus trinta e quatro anos de vida. Parecia que eu tinha levado um soco no estômago e que estava tomando fôlego para receber outro. Lembro que liguei para o trabalho de Rob, ainda histérica.

"Colleen, querida, ouça. Peça ajuda à vizinha. Vou sair logo que puder, mas não quero que você fique sozinha." Desliguei o telefone, apavorada.

Fiquei ali, sem ar, e me lembrei então que o técnico do

alarme ainda estava trabalhando e provavelmente ouvira tudo. Com vergonha, achei que tinha de me desculpar. Chorando, fui até a sala da frente e o encontrei encostado no umbral da porta, como se esperasse por mim. Antes que eu dissesse qualquer coisa, ele me levou até uma cadeira.

"Sente-se", ele disse. "E respire fundo, procurando relaxar."

As instruções específicas e o tom gentil me pegaram de surpresa. Sentei e comecei a respirar, me sentindo mais calma.

Aquele estranho se sentou à minha frente e, numa voz tranqüila, me contou como ele e a mulher tinham perdido o primeiro filho. O bebê nascera morto porque eles não sabiam que ela desenvolvera diabetes durante a gravidez. Ele continuou dizendo como fora duro aceitar o fato até que, finalmente, desistiram e admitiram que era algo que lhes fugia ao controle.

"Eu entendo como seu coração está doendo agora. Mas só o que a senhora pode fazer é ter fé e compreender que o que está acontecendo com seu bebê está fora do seu controle. Quanto mais tentar tomar as rédeas da situação, ter controle sobre o bebê, sobre os exames, tudo isso, mais a sua incapacidade de mudar as coisas vai fazer-lhe muito mal."

Tomou minha mão e disse que há poucos meses ele e a mulher tinham sido abençoados com uma menininha saudável. Dessa vez, não tinha havido problemas. É claro que pensam ainda no garotinho que perderam, mas hoje entendem e aceitam que, por alguma razão, não era para ele viver. Pediu para eu tentar manter a fé e afirmou que sentia que tudo daria certo.

Então, com a mesma calma com que me contou sua história, ele se levantou e se dirigiu à porta. Virou-se e disse que já consertara o alarme.

Aquele homem me ajudou como nenhuma outra pessoa poderia ter feito! Ao apertar sua mão e dizer "obrigada", me lembrei de que não pagara pelo serviço.

Ele sorriu e disse que eu nada lhe devia. Tudo que pedia era que eu mantivesse a fé.

Entreguei a Deus e, no final das contas, tudo aconteceu na hora certa.

COLLEEN DERRICK HORNING

Completamente errado

Dizer que minha mãe era completamente inexpressiva não é crítica nem reclamação. Ela era simplesmente uma dessas mulheres que as pessoas não notam. O mundo está cheio de pessoas assim.

Nascida em uma família de alcoólatras, minha mãe decidiu sair de Saint Louis aos dezessete anos porque, como ela dizia, "Não podia agüentar mais um só minuto de discussão, bebida e loucura". Foi para a Califórnia, morar com uma prima e começar vida nova. Isso aconteceu em 1959.

No ano seguinte se casou com meu pai, que era da Marinha, e tiveram três filhos: Tammy, Tina e eu, Jerry. Meus pais compraram uma casa pequena e simples no condado de Orange em 1967. Em 1975, apesar de seus esforços, se divorciaram. Eu tinha doze anos.

Talvez pela grande mudança provocada pelo divórcio, de

repente passei a perceber minha mãe como pessoa. Notei que seu rosto tinha círculos escuros em torno dos olhos e que seu corpo sofrera com a gravidez e o parto dos filhos. Os homens não olhavam para ela. Parece que nunca notaram os olhos luminosos que eu comecei a perceber com o tempo.

Como muitas outras mães sozinhas, a minha também arrumou um segundo emprego e à noite distribuía formulários de corridas de cavalo em lojas de bebidas alcoólicas. Ela me prometia um sorvete coberto de chocolate para eu ir com ela, pois dizia ser a única forma de estarmos juntos mais um pouco. Levava pilhas de formulários às lojas, sem receber sequer um segundo olhar dos homens detrás dos balcões. Mamãe parecia invisível para os homens.

Mais velho, eu amargava o desinteresse das pessoas por minha mãe. Eu conhecia seu caráter, sua moral e o imenso conhecimento adquirido por ser uma leitora insaciável. Percebi que a vida silenciosa e heróica de minha mãe não era notada nem apreciada. Aquilo me doía.

Em dezenove de fevereiro de 1986 recebi um telefonema no trabalho. Era minha mãe, com a notícia de que o resfriado de que ela tentava se livrar há dois meses era na verdade um tumor no pulmão esquerdo. Uma semana depois foi para a mesa de operação, mas nada havia a fazer. O médico falou em quimioterapia e radioterapia, mas seus olhos nos diziam a dura verdade.

Mamãe lutou com garra contra o tumor, mas parecia que ninguém percebia sua fibra. Ela suportou os efeitos da radiação, que atingiram sua laringe, afetando sua capacidade de engolir e até de respirar. Enfrentou o pesadelo da quimioterapia, comprando uma peruca vermelho-vivo para tentar chamar a atenção da família para o que estava ocorrendo. Não funcionou. Ela lutou para "derrotar o monstro" até perder a consciência, em dois de fevereiro de 1987, morrendo de mãos dadas com seus filhos, que acariciavam seu rosto completamente inexpressivo. Aquilo me encheu de raiva.

Raiva do mundo que não a notara. Eu a notara. Pude observar a luta e a solidão cobrarem seu preço. Como não viram que essa mulher inexpressiva na figura era, na verdade, um lindo ser humano? Tive raiva até o dia do funeral.

Pessoas que eu não conhecia começaram a chegar na capela simples onde ela se encontrava para ser notada pela última vez. Pessoas que tinham trabalhado com ela há vinte anos estavam lá, dizendo que não me viam desde que eu usava fraldas. Amigos de seu último emprego, que eu não conhecia, foram nos abraçar. Até o chefe com quem trabalhara há oito anos esteve lá. Cumprimentou-me e disse que minha mãe inexpressiva era "uma das mulheres mais bondosas que já conheci".

Comecei a prestar atenção em minha mãe como pessoa aos doze anos e a achei totalmente inexpressiva. Olhei para a capela cheia de pessoas que tinham notado minha mãe e podiam pensar outras coisas dela, mas jamais que fosse inexpressiva.

Foi uma alegria profunda constatar que estava completamente errado. Debaixo da aparência inexpressiva de minha mãe, essas pessoas perceberam, o tempo todo, a pessoa extraordinária que estava ali.

Gerald E. Thurston Jr.

O suéter

Era tarde demais quando me dei conta de meu erro. Eu fora de tal forma tomada pela dor diante do rápido declínio e morte de meu pai, que não parara para pensar em como a sua morte afetaria minha filha.

Papai havia passado meses reclamando de uma dor no ombro, "um nervo pinçado" – foi o que achamos. Quando adoeceu durante as férias e foi diagnosticado com um câncer primário e progressivo na próstata, todos ficamos chocados.

Meu pai era uma dessas pessoas especiais que nasceu com um brilho nos olhos. Jamais conheci alguém que não pensasse um mundo de coisas boas a seu respeito. Crianças pequenas, em particular, sentiam-se atraídas por ele como formiguinhas por mel. Ele juntava as mãos e sorria com tanta alegria, que a criançada se aproximava correndo. Durante uma visita à minha irmã, na Irlanda, ensinou a molecada do vilarejo a jogar futebol americano. Era freqüente as crianças irlandesas passarem pela casa à noite para perguntar: "Será que o vovô pode sair para brincar com a gente?"

Assim, não era nenhuma surpresa que ele fosse especialmente próximo de minha filha Jodi, de cinco anos, a última dentre todos os netos que continuou a morar perto dele, nos Estados Unidos. Os dois viviam dando risadinhas e gargalhadas juntos, durante horas, inventando histórias e alimentando animais de mentirinha no quintal.

Quando encontraram o câncer de meu pai, já havia se espalhado para os ossos e, a partir daí, tudo aconteceu rapidamente. Quando íamos visitá-lo, Jodi sentava-se quietinha ao seu lado na cama e fingia ler para ele – as brincadeiras barulhentas haviam ficado para trás. Eu lhe explicara que o vovô estava muito doente e que não podia mais brincar com ela como antigamente, mas era difícil para sua cabecinha de cinco anos compreender.

Perto do final, eu já não levava Jodi comigo por não querer que ela se assustasse com a aparência do avô, com a expressão de dor e de sofrimento no rosto daquele homem vital que todos tanto amávamos.

Depois que ele morreu, fiquei sem saber se Jodi compreendia o caráter definitivo da morte ou se achava que o vovô estava fora da cidade, "de férias". Mas, com o passar das semanas, ela foi ficando muito quieta e retraída, chorando com freqüência por motivos que eu achava estranhos.

Certa noite, sentei-me com ela no colo e acariciei seus cabelos, suavemente.

– Você me parece muito triste, meu docinho – disse eu. – Quer me dizer o que há de errado?

Ela passou alguns minutos em silêncio e, a seguir, pôs-se a soluçar.

– Eu não consegui me despedir do vovô.

Naquele momento eu me dei conta de que, apesar de meus bons propósitos, eu havia cometido um erro.

Através de uma nuvem de lágrimas mútuas, ficamos sentadas juntas, uma embalando a outra, e conversamos sobre o vovô e sobre todos os momentos maravilhosos passados com ele.

– Você quer dizer adeus para o vovô agora? – perguntei.

Ela olhou para mim como se eu fosse só um pouquinho esquisita.

– Feche os olhos. Agora imagine o rosto do vovô bem à sua frente. Quando ele sorrir, você pode falar com ele.

De repente, um imenso sorriso invadiu seu rosto.

– Ele está sorrindo tão grande para mim!

– Então diga a ele o que você quiser.

– Vovô – começou ela –, eu amo você e sinto muito a sua falta. Quero me despedir de você. Tchau, vovô.

Então me lembrei dos mimos que pegara para mim quando minha mãe empacotou as roupas de papai. Pedi a ela dois de seus suéteres velhos confortáveis, aqueles com os quais ele gostava de ficar em casa nos fins de semana. Fui pegar os dois suéteres azuis e dei um a Jodi.

– Estes são os suéteres especiais do vovô. Quando estivermos tristes ou com saudades dele, é só vestir para senti-lo nos abraçar.

Nós duas choramos enquanto cada uma vestia o seu suéter. Então eu a segurei nos braços enquanto adormecia. Pela primeira vez em semanas ela parecia estar em paz, com um discreto sorriso no rosto.

Os dois suéteres foram muito usados através dos anos. Muitas vezes, quando Jodi estava com algum problema, retirava-se para o quarto. Quando, mais tarde, eu ia verificar se estava tudo bem, era normal encontrá-la deitada na cama envolta no suéter azul do vovô – dormindo pacificamente com a mais sutil insinuação de um sorriso no rosto.

Hoje Jodi tem dezoito anos e ainda adora usar o suéter do avô. De alguma maneira, sempre lhe cabe perfeitamente. E sabem por quê? Porque é do tamanho de um abraço.

PAMELA ALBEE

Claro que eu gostaria de ser uma mãe perfeita.
Mas estou muito ocupada cuidando dos meus filhos.

Confissões de uma madrasta

Ao conhecer Larry, meu futuro marido, compreendi que era um pacote completo, incluindo McKenna, uma filha de dezoito meses, e Lorin, um menino de quatro anos, nos fins de semana.

No dia em que conheci as crianças, contornamos o lago com Larry carregando uma McKenna de fraldas no colo, enquanto Lorin corria atrás de sapos para me mostrar. Fiquei atordoada. Aquelas crianças eram uma imensa parte do homem que eu amava e, no entanto, tinham muito pouco a ver comigo. Como é que essa história de madrasta funcionava?

Eu rapidamente me apaixonei pelo sorrisinho travesso de Lorin e o corpinho rechonchudo de McKenna, quentinho, contra o meu, quando eu a segurava no colo. Fui completamente cativada pela minha nova e encantadora "família instantânea", mas a mães das crianças, Dia, já era outra história. Tínhamos um relacionamento cauteloso, as arestas de hostilidade existentes entre nós duas muito tenuemente ocultadas. Eu fazia o possível para ignorá-la e me concentrava nas duas crianças adoráveis as quais ela dera à luz.

As crianças e eu nos dávamos bem, embora Lorin fosse um tanto reservado. Talvez fosse por lealdade à mãe ou por ser menino, ou, aos quatro anos, pelo simples fato de querer mais independência. McKenna, por ser tão pequenininha, não era dada a esse tipo de escrúpulos. Ela me amava e deixava isso bem claro, sem reservas, com uma doçura e inocência que tiravam o meu fôlego. Eu não conseguia resistir ao seu amor e, quando me apaixonei, foi de verdade. Quase que imediatamente formamos nosso próprio fã-clube mútuo – dois corações que pulsavam como um.

Na realidade foi McKenna quem primeiro me pediu em casamento. Estávamos sentadas, juntas, na sala de espera de um aeroporto, a caminho da casa dos pais de Larry. Com quase três anos, estava sentada no meu colo, de frente para mim, brincando com o meu colar. De vez em quando, olhava para o meu rosto com os olhos transbordando de adoração. Sorri, sentindo a presença de meu imenso amor por ela em meu coração. Larry estava sentado ao nosso lado e Lorin passeava pelas fileiras de cadeiras de plástico, fazendo barulhos de motor de carro com a boca. Para um observador desavisado, éramos uma jovem família como outra qualquer. Mas não éramos uma família porque Larry ainda não havia feito aquela pergunta. E muito embora eu não quisesse forçar a barra, nós dois sabíamos que minha paciência estava chegando ao limite. O que, eu me perguntava, estaria ele esperando?

Então, McKenna arrancou a chupeta da boca e, retribuindo o meu sorriso, perguntou, toda animada:

– Quer casar comigo?

Após um momento de sobressaltado silêncio, rimos até a barriga doer. Eu por simples deleite, Larry pela liberação da tensão e as crianças, simplesmente, porque os adultos estavam rindo. Felizmente, não demorou muito para que Larry seguisse o exemplo da filha com o seu próprio pedido de casamento.

Com o passar do tempo, acostumei-me a ser mãe em regime de meio expediente – e a ter a mãe das crianças como parte inevitável de minha vida. Eu gostava de Dia, sinceramente, mas nossas posições pareciam exigir um certo grau de mau humor mútuo que eu fazia o possível para sufocar. Às vezes sentia o condenável desejo de que ela simplesmente sumisse. Abatida por uma doença rápida e indolor, ela, em seu leito de morte, me pediria para criar os filhos em seu lugar. Assim, as crianças ficariam conosco – seriam minhas de fato – e nós poderíamos formar uma família "de verdade".

Felizmente, isso jamais aconteceu. Eu não queria que ela morresse; apenas sentia ciúmes por ela ter tido filhos com o meu marido. Está bem, está bem, concordo que ele era marido dela naquela época – mas, ainda assim, a situação me exasperava.

Vi as crianças crescerem, deixarem de ser bebês e passarem a freqüentar a escola. A mãe deles e eu dávamos prosseguimento às nossas interações canhestras porém civilizadas, organizando o ir e vir das crianças, negociando férias e feriados.

Meus amigos viviam dizendo que quem tinha de lidar com a ex-mulher era Larry e, por algum tempo, tentamos isso. Mas como madrasta ativa e cheia de boa vontade para com as crianças, eu vivia me metendo nas decisões. Assim, Dia e eu acabamos voltando ao arranjo anterior e, com o passar dos anos, notei que nossos telefonemas foram mudando. Notei que gostava de conversar com Dia sobre as crianças. E acho que ela se deu conta de que havia poucas pessoas no mundo que tinham tanto interesse, que eram tão encantadas ou preocupadas com seus filhos quanto eu. Demos início a uma metamorfose lenta porém perceptível, completada no ano em que Dia me enviou um cartão de Dia das Mães me agradecendo por ser "co-mãe" de seus filhos.

Este foi o início de uma nova era para Dia e eu. E muito embora nem sempre tenha sido perfeita, tenho consciência de que tem sido extraordinária. Assim, tenho os meus próprios agradecimentos a fazer:

Obrigada, Dia, por ser grande o suficiente para compartilhar os seus filhos comigo. Se você não o fosse, eu jamais saberia o que é segurar um bebê adormecido e sentir a completa confiança demonstrada por aqueles membros flácidos, de pele sedosa, reunidos, com todo o cuidado, em meus braços. Jamais teria tido a oportunidade de me maravilhar com as curvas e desvios da mente de um menino enquanto tenta encontrar sentido num universo tão grande e complexo.

Jamais teria sabido que uma criança é capaz de chorar tão alto quando a barriga dói ou que, depois de vomitar, podia sorrir para a gente de forma tão radiante – as bochechas ainda molhadas de lágrimas, a dor já esquecida.

Eu jamais teria assistido a um menino pelejar para se tornar a sua própria pessoa ou participado tão ativamente do processo de crescimento, tão dolorido e sério, de um adolescente. Não teria tido o formidável privilégio de assistir aquele molequinho chato de doze anos, que me enlouquecia com suas perguntas, se transformar num homem lindo, com um sorriso de muitos megawatts e uma personalidade encantadora. E, enquanto se prepara para ir para a faculdade, sei que está prestes a levar uma nova geração de mulheres à loucura – por motivos completamente diferentes.

Não teria sentido a emoção de ver nossa linda filha no palco expressando-se com graça e com uma profundidade de sentimento antigo demais para alguém tão jovem. Ou de sentir a vaidade e o orgulho – completamente desmerecidos (e censuráveis) – quando um desconhecido comenta que McKenna se parece comigo.

Obrigada por transformar a manhã de Natal num evento comunitário para que as crianças jamais tivessem de se sentir divididas num dia que tanto amam. Olhei ao meu redor, um ano, e nos vi sentados ao redor da árvore de Natal enquanto os meninos distribuíam os presentes. Lá estávamos, você e seu marido, Larry e eu, as crianças e... surpreendentemente, eu me senti em casa.

Compreendi, naquele momento, que você não precisava sumir para sermos uma família de verdade.

Carol Kline

A visão real

Minha amiga Michelle é cega, mas você não notaria se não prestasse muita atenção. Ela usa tão bem os outros sentidos, inclusive o "sexto sentido" – a intuição –, que dificilmente deixa a impressão de que não percebeu alguma coisa.

Michelle cuida dos filhos tão bem quanto qualquer uma de nós, só que não esquenta a cabeça com detalhes. Seus filhos, Sarah, de seis anos, e Aaron, de nove, se beneficiam disso. Michelle comentou comigo que, como não consegue escolher as roupas das crianças, e o marido não se sente com capacidade para isso, Sarah e Aaron acabam resolvendo eles mesmos o que vestir. Para Michelle o que importa é que as roupas estejam limpas e de acordo com a temperatura. E ela acredita que as crianças já têm idade para dizer se sentem calor ou frio.

Um outro assunto sobre o qual Michelle raramente discute

com os filhos é quanto à limpeza da casa. Ela sabe que está na hora de dar um bom jeito na casa quando tropeça em objetos ou brinquedos largados pelo chão. Na casa de Michelle, as crianças aprenderam a colocar as coisas nos devidos lugares, porque deixar tudo espalhado, mais do que aborrecer sua mãe, significa perigo para ela. Na verdade, Michelle se locomove tão bem pela casa que, com freqüência, as pessoas que a visitam nem percebem que ela é cega.

Percebi isso na primeira vez que minha filha Kayla, de seis anos, foi brincar com Sarah. Kayla chegou em casa excitada com seu dia. Contou-me que assaram biscoitos, jogaram e fizeram trabalhos de arte. Mas estava especialmente entusiasmada com as pinturas feitas com os dedos.

Sorrindo, feliz, Kayla disse: "Mamãe, sabe da maior? Hoje aprendi a misturar as cores! Azul com vermelho dá roxo e amarelo com azul dá verde! Não é legal? E Michelle pintou conosco. Ela disse que gosta de sentir a tinta escorrendo entre os dedos."

A alegria de minha filha chamou minha atenção e eu me dei conta de que jamais pintara com Kayla, porque a bagunça provocada pelas tintas me incomodava especialmente. Ela acabou aprendendo sobre cores com minha amiga cega. A ironia me fez parar e olhar para minha filha e para mim mesma com outros olhos.

"Michelle me pediu para descrever o que eu tinha feito e disse que meu trabalho passava alegria, orgulho e talento!" Kayla disse que nunca sentira como era bom pintar com os dedos até que Michelle lhe mostrou como pintar sem olhar para o papel.

Foi quando entendi que Kayla não sabia que Michelle era cega. Jamais faláramos sobre o assunto.

Quando contei para ela, ficou quieta por um momento. Primeiro, não quis acreditar. "Mas, mamãe, Michelle compreendeu exatamente o que estava na minha pintura!", Kayla insistiu. E eu sabia que era verdade porque Michelle ouvira com a maior atenção a descrição que Kayla fizera de seu trabalho. Também ouvira Kayla falar com orgulho da pintura, de como achara fantástico descobrir como as cores se misturam e o prazer que sentira com a textura das tintas.

Ficamos em silêncio até Kayla dizer, devagar: "Sabe, mamãe, Michelle realmente viu minha pintura. Ela usou meus olhos para ver."

Eu nunca ouvi ninguém se referir a Michelle como cega. Ela não é cega. Ela tem uma espécie de "visão" que todas as mães deveriam usar.

MARSHA ARONS

Feche a boca e abra os braços

As crianças precisam de orientação e de compreensão bem mais do que de instrução.

ANN SULLIVAN

Uma amiga ligou com notícias perturbadoras: a filha solteira estava grávida.

Relatou a cena terrível ocorrida no momento em que a filha finalmente contou a ela e ao marido sobre a gravidez. Houve acusações e recriminações, variações sobre o tema "Como pôde fazer isso conosco?". Meu coração doeu por todos: pelos pais que se sentiam traídos e pela filha que se envolveu numa situação complicada como aquela. Será que eu poderia ajudar, servir de ponte entre as duas partes?

Fiquei tão arrasada com a situação, que fiz o que faço – com alguma freqüência – quando não consigo pensar com clareza: liguei para minha mãe. Ela me lembrou de algo que sempre a ouvi dizer. Imediatamente, escrevi um bilhete para minha amiga, compartilhando o conselho de minha mãe: "Quando uma criança está em apuros, feche a boca e abra os braços."

Tentei seguir o mesmo conselho na criação de meus filhos. Tendo tido cinco em seis anos, é claro que nem sempre conseguia. Tenho uma boca enorme e uma paciência minúscula.

Lembro-me de quando Kim, a mais velha, estava com quatro anos e derrubou o abajur de seu quarto. Depois de me certificar de que não estava machucada, me lancei numa invectiva sobre aquele abajur ser uma antigüidade, sobre estar em nossa família há três gerações, sobre ela precisar ter mais cuidado e como foi que aquilo tinha acontecido – e só então percebi o pavor estampado em seu rosto. Os olhos estavam arregalados, o lábio tremia. Então me lembrei das palavras de minha mãe. Parei no meio da frase e abri os braços.

Kim correu para eles dizendo:

– Desculpa... Desculpa – repetia, entre soluços. Nos sentamos em sua cama, abraçadas, nos embalando. Eu me sentia péssima por tê-la assustado e por fazê-la crer, até mesmo por um segundo, que aquele abajur era mais valioso para mim do que ela.

– Eu também sinto muito, Kim – disse quando ela se acalmou o bastante para conseguir me ouvir. – Gente é mais importante do que abajures. Ainda bem que você não se cortou.

Felizmente, ela me perdoou. O incidente do abajur não deixou marcas perenes. Mas o episódio me ensinou que é melhor segurar a língua do que tentar voltar atrás após um momento de fúria, medo, desapontamento ou frustração.

Quando meus filhos eram adolescentes – todos os cinco ao mesmo tempo – me deram inúmeros outros motivos para colocar a sabedoria de minha mãe em prática: problemas com amigos, o desejo de ser popular, não ter par para ir ao baile da escola, multas de trânsito, experimentos de ciência malsucedidos e ficar em recuperação. Confesso, sem pudores, que seguir o conselho de minha mãe não era a primeira coisa que me passava pela mente quando um professor ou diretor telefonava da escola. Depois de ir buscar o infrator da vez, a conversa do carro era, algumas vezes, ruidosa e unilateral.

Entretanto, nas ocasiões em que me lembrava da técnica de mamãe, eu não precisava voltar atrás no meu mordaz sarcasmo, me desculpar por suposições errôneas ou suspender castigos muito pouco razoáveis. É impressionante como a gente acaba sabendo muito mais da história e da motivação por trás dela quando está abraçando uma criança, mesmo uma criança num corpo adulto. Quando eu segurava a língua, acabava ouvindo meus filhos falarem de seus medos, de sua raiva, de culpas e arrependimentos. Não ficavam na defensiva porque eu não os estava acusando de coisa alguma. Podiam admitir que estavam errados sabendo que eram amados, apesar de tudo. Dava para trabalharmos com "o que você acha que devemos fazer agora", em vez de ficarmos presos a "como foi que a gente veio parar aqui?".

Meus filhos hoje estão crescidos, a maioria já constituiu a própria família. Um deles veio me ver há alguns meses e disse: "Mãe, cometi uma idiotice..."

Depois de um abraço, nos sentamos à mesa da cozinha. Escutei e me limitei a assentir com a cabeça durante quase uma hora enquanto aquela criança maravilhosa passava o seu problema por uma peneira. Quando nos levantamos, recebi um abraço de urso que quase esmagou os meus pulmões.

– Obrigado, mãe. Sabia que você me ajudaria a resolver isto.

É incrível como pareço inteligente quando fecho a boca e abro os braços.

DIANE C. PERRONE

Não existe uma forma de ser uma mãe perfeita, mas um milhão delas de ser uma boa mãe.

JILL CHURCHILL

A inspeção

Num acampamento de escoteiros, durante uma inspeção, o monitor achou um guarda-chuva cuidadosamente enrolado no saco de dormir de um dos meninos. Como, afinal, guarda-chuvas não faziam parte da lista do que levar para o acampamento, ele pediu para o garoto explicar por que o objeto estava ali.

Com um suspiro conformado, o menino disse: "O senhor não sabe como são as mães?"

AUTOR DESCONHECIDO

Aperte minha mão

Você se lembra da sua infância, quando caía e se machucava? Lembra o que sua mãe fazia para acalmar a dor? Minha mãe, Grace Rose, me levava no colo até sua cama e beijava meu machucado. Então, ela sentava ao meu lado, pegava minha mão e falava: "Quando doer, aperte minha mão e vou dizer 'Eu te amo'."

Era sempre assim: eu apertava sua mão e, sem falhar uma só vez, ouvia as palavras: "Mary, eu te amo."

Às vezes, eu fingia ter me machucado só para passar por esse ritual com ela. À medida que fui crescendo, o ritual mudou, mas minha mãe sempre encontrava um modo de diminuir a dor e aumentar a alegria em qualquer área da minha vida.

Numa época difícil, durante o segundo grau, ela tinha sempre meus chocolates preferidos, recheados com amêndoas, quando eu chegava em casa. Lá pelos meus vinte e poucos anos, mamãe muitas vezes telefonava num fim de tarde convidando-me para vermos o pôr-do-sol ou o nascer da lua. Deixava bilhetinhos amorosos sobre meu travesseiro quando eu chegava tarde em casa e, quando fui morar sozinha, mandava-me vasinhos de flores agradecendo as visitas que eu lhe fazia.

Mas minha melhor lembrança continuou sendo ela segurando minha mão quando eu era pequena e repetindo: "Quando doer, aperte minha mão e vou dizer 'Eu te amo'."

Eu já tinha trinta e tantos anos quando, uma manhã, papai telefonou para o meu trabalho. Era um homem seguro e lúcido, mas a voz soava confusa e amedrontada. "Mary, há algo errado com sua mãe. Já chamei o médico, mas, por favor, venha logo que puder."

Quando cheguei, papai andava de um lado para o outro na sala e mamãe estava deitada no quarto, olhos fechados, as mãos sobre o estômago. Chamei por ela, tentando manter a voz o mais calma possível.

"Mamãe, estou aqui."

"Mary, é você?", ela balbuciou.

"Sim, mamãe, sou eu."

Eu não estava preparada para a próxima pergunta e, quando a ouvi, congelei, sem saber o que responder.

"Mary, eu vou morrer?"

Meu olhos se encheram de lágrimas enquanto olhava minha mãe querida ali, deitada, tão desamparada.

Ao tentar descobrir o que responder, pensei: "O que mamãe diria num momento desses?"

Hesitei por um instante, esperando que as palavras viessem. "Mamãe, não sei se você vai morrer, mas fique tranqüila, tudo acabará bem." Apertei sua mão. "Eu amo você."

Ela gemeu: "Mary, sinto tanta dor."

Mais uma vez fiquei sem saber o que falar. Sentei a seu lado na cama e me ouvi dizendo: "Mamãe, quando doer, aperte minha mão e vou dizer 'Eu te amo'."

Ela apertou minha mão.

"Mamãe, eu te amo."

Esta cena se repetiu muitas vezes durante os dois anos seguintes, até sua morte, de câncer. Nós nunca sabemos quando virão os momentos em que seremos testados. Mas sei que, quando chegarem, com quem quer que eu esteja, oferecerei o ritual de amor de minha mãe: "Quando doer, aperte minha mão e vou dizer 'Eu te amo'."

MARY MARCDANTE

Eles parecem uns anjinhos
quando estão dormindo.
Quem poderia dizer que durante o dia
eles ficam gritando o tempo todo?

Minha filha, minha mestra

As crianças reinventam o mundo pra você.

SUSAN SARANDON

As crianças nos ensinam coisas novas todos os dias. Eu já tinha ouvido dizerem isso, mas foi só quando me tornei mãe que me dei conta da dimensão desse ensinamento.

Quando Marissa tinha seis meses, parecia estar sempre olhando para cima, procurando alguma coisa. Acompanhando seu olhar, descobri a magia das folhas dançando nas árvores e o movimento das nuvens no céu. Com oito meses, ela olhava para baixo, enquanto eu a empurrava no carrinho. Percebi, então, que cada pedra é diferente, que as rachaduras nas calçadas fazem desenhos interessantes e as folhas da grama têm verdes diversos.

Quando ela fez onze meses, aprendeu a dizer "Uau!", palavra que usava, maravilhada, ante qualquer coisa nova e deslumbrante, como a variedade de brinquedos do consultório do pediatra ou o acúmulo de nuvens negras antes de uma tempestade. Ela falava baixinho "Uau!" para coisas que realmente a impressionavam, como o sopro do vento no seu rosto ou um bando de pombos levantando vôo. E, finalmente, o máximo em matéria de "Uau!" era sua boquinha aberta, mas sem emitir som, reservado para ocasiões realmente surpreendentes, como um pôr-do-sol num lago depois de um lindo dia ou fogos de artifício no céu de verão.

Marissa me ensinou muitas formas de dizer "Eu te amo". Quando tinha quatorze meses e estávamos abraçadas, ela, com a cabecinha recostada no meu ombro, suspirou fundo e disse: "Feliz." Num outro dia (já com dois anos e levada como ela só), apontou para uma linda modelo na capa de uma revista e perguntou: "É você, mamãe?"

Há pouco tempo, agora com três anos, entrou na cozinha enquanto eu lavava a louça e ofereceu: "Posso ajudar?" Logo depois, colocou a mão no meu braço e me fez derreter: "Mamãe, se você fosse pequena, eu queria ser sua amiga."

Em momentos assim, tudo que posso dizer é "Uau!".

JANET S. MEYER

O que é uma avó?

Carta de um aluno da terceira série.

Uma avó é uma mulher velhinha que não tem filhos. Ela gosta dos filhos dos outros. Um avô é um homem-avó. Ele leva os meninos para passear e conversa com eles sobre pescaria e outros assuntos parecidos.

As avós não fazem nada e por isso podem ficar mais tempo com a gente. Como elas são velhinhas, não conseguem rolar pelo chão ou correr. Mas não faz mal, porque nos levam ao *shopping* e compram tudo o que nossos pais não querem comprar. Na casa delas tem sempre um vidro com balas e uma lata cheia de suspiros. Contam histórias de nosso pai ou nossa mãe quando eram pequenos, histórias da Bíblia, histórias de uns livros bem velhos com umas figuras lindas. Passeiam conosco mostrando as flores, ensinando seus nomes, nos fazendo sentir o perfume. Avós nunca dizem "Apresse-se", "Arrume seu quarto", "Coma com modos".

Normalmente, as avós são gordinhas, mas, mesmo assim, elas nos ajudam a amarrar os sapatos. Quase todas usam óculos e eu já vi uma tirando os dentes e as gengivas.

Quando a gente faz uma pergunta, a avó não diz: "Menino, não vê que eu estou ocupada!" Ela pára, pensa e responde de um jeito que a gente entende. As avós sabem um bocado de coisas.

As avós não falam com a gente como se nós fôssemos umas criancinhas idiotas, nem apertam nosso queixo dizendo "Que gracinha!", como fazem algumas visitas chatas. Quando lêem para nós, não pulam pedaços das histórias nem se importam de ler a mesma história várias vezes. O colo das avós é quente e fofinho, bom de a gente sentar quando está triste. A minha avó sabe fazer uma festinha bem de leve nas minhas costas que eu adoro.

Todo mundo devia tentar ter uma avó, porque são os únicos adultos que têm tempo pra nós.

AUTOR DESCONHECIDO

O visitante do meio da noite

Cresci numa aldeia rural numa época em que nos maravilhávamos com o telefone e os automóveis eram incapazes de atravessar estradas cheias de lama. Foi antes da Grande Depressão, quando havia pouco para todos e os vizinhos dependiam uns dos outros. Eu me lembro bem daquela noite.

Era início de outubro e pela janela víamos tudo escuro, chuva forte e o vento se misturando. A turbulência maltratava nossa pequena casa de madeira na área rural de Arkansas, e a tempestade ameaçava apagar o lampião sobre a mesa da sala.

Aos nove anos, assustada, eu tinha certeza de que a casa sairia voando a qualquer momento. Papai fora em direção ao norte, procurando trabalho, e eu me sentia extremamente vulnerável. Mas mamãe conseguia ficar calma, sentada, consertando suas roupas "para durarem outro inverno".

"Ah, mamãe, você precisa de roupas novas", eu disse, tentando puxar conversa. Numa noite assim, eu precisava do conforto de uma voz bem serena.

Ela me abraçou. "Você precisa de roupas melhores porque vai à escola."

"Mas você não tem nem um casaco para o inverno", retruquei.

"Deus prometeu suprir nossas necessidades. Ele cumprirá sua promessa, não quando pedirmos, mas no Seu próprio tempo. Tudo vai ficar bem."

Eu invejava a fé inabalável de minha mãe, principalmente em noites assim.

Uma lufada de vento desceu pela chaminé e espalhou o carvão da lareira.

"Podemos trancar as portas?", perguntei.

Mamãe sorriu, pegou a pequena pá preta da lareira e espalhou cinzas sobre os carvões em brasa.

"Edith, não podemos evitar a tempestade. E você sabe que ninguém aqui tranca as portas, especialmente numa noite assim, porque alguém pode precisar entrar fugindo do mau tempo."

Ela pegou o lampião, foi para o quarto e eu a segui. Minha mãe me enfiou entre as cobertas, mas, antes que tirasse o roupão de retalhos, o barulho repentino da porta da frente aberta pelo vento fez entrar o cheiro de chuva e ouvimos o som de objetos derrubados na sala. Também de repente a porta bateu e se fechou.

"Esse barulho todo não era só vento e trovão." Mamãe

pegou o lampião e voltou à sala. Eu tive medo de ir também, mas o medo de ficar sozinha foi maior ainda.

Primeiro, só pudemos ver o conteúdo da cestinha de costura de mamãe espalhado no chão. Então nossos olhos seguiram pegadas de botas enlameadas no chão de madeira, da porta à cadeira estofada que ficava em frente à lareira.

Um homem encharcado e desgrenhado, baixo e corpulento, com um terno escuro e salpicado de lama estava afundado na cadeira.

Seu hálito exalava um cheiro terrível. Sua mão esquerda, imóvel, segurava uma lata amassada.

"Mamãe, é o senhor Hall!", exclamei.

Mamãe apenas assentiu com a cabeça, enquanto, com a pá, tirava os carvões queimados da lareira. Limpou as cinzas e levou os pedaços de carvão para a fornalha da cozinha, cobrindo-os com aparas de pinho.

Ela disse: "Vou fazer café. Acenda o fogo para ajudar nosso hóspede a se aquecer e a se secar."

"Mas, mamãe, ele está bêbado!"

"Tão bêbado que entrou em nossa casa pensando estar entrando na dele!"

"Mas ele mora bem longe, lá embaixo na estrada", observei.

"Minha filha, o senhor Hall não é um beberrão. Não sei o que aconteceu hoje. Mas ele é um homem bom."

Eu sabia que o senhor Hall se encontrava com alguém na estrada todas as segundas-feiras de manhã e ia para sua pequena alfaiataria em Little Rock, onde trabalhava durante toda a semana. Aos sábados à tarde ele voltava, caminhando com dificuldade, apoiado em uma bengala.

Como se lesse meus pensamentos, mamãe murmurou: "Ele deve se sentir muito solitário de vez em quando."

Em pé na porta da cozinha, fui tomada por uma preocupação. "Oh, mamãe, o que as pessoas vão dizer sobre a bebedeira do senhor Hall?"

"As pessoas não têm de ficar sabendo disso nunca. Você está me entendendo?"

"Estou, mamãe."

Enquanto a chuva continuava, mamãe levou para o nosso hóspede uma caneca de café preto e fumegante. Levantou sua cabeça para ajudá-lo a tomar o café, gole a gole. A caneca estava quase vazia quando ele abriu os olhos o suficiente para nos reconhecer.

"Senhora Wood."

"Sim, senhor Hall, o senhor vai ficar bem."

Enquanto mamãe levava a caneca de volta à cozinha, o senhor Hall conseguiu se apoiar na bengala, afastou a colcha dobrada sobre a cadeira e saiu cambaleando porta afora em direção à tempestade.

Ficamos observando-o enquanto chegava, vacilante, até o portão da frente, os clarões dos raios iluminando o caminho.

"Parece que nosso hóspede já consegue andar sozinho."

"Mamãe, por que você o chama de nosso hóspede?", perguntei. "Ele só é nosso vizinho. Nós não o convidamos a entrar."

"Um hóspede é qualquer pessoa que venha à nossa casa em paz. Você se lembra quem é o próximo na história do Bom Samaritano?"

"O homem que ajudou o estranho", respondi.

"Fazendo dele nosso hóspede, Deus nos deu a oportunidade de sermos próximas do senhor Hall."

Algumas semanas mais tarde, chegando da igreja, havia um saco de papel sobre a mesa. Nele se lia: "Senhora Wood".

"Deve ser o vestido que a senhora Chiles ficou de me emprestar para eu tirar o molde. Ela tem uma filha do seu tamanho. Se quiser, pode abrir", mamãe disse, enquanto ia mudar de roupa.

Abri o saco amarfanhado e me surpreendi. "Mamãe! É um casaco para você, e é lindo!"

Mamãe voltou-se para olhar o casaco que eu suspendia. Ela o experimentou, enfiando o braço direito e depois o esquerdo pelas mangas. Naquela época eu não conhecia o significado real da generosidade. Tudo o que eu pude ver, quando mamãe experimentou o casaco, é que ele ficou perfeito nela.

EDITH DEAN

O prognóstico

Uma jovem mãe, submetida a um tratamento contra câncer, voltou do hospital sem cabelos, por causa da radioterapia, e muito consciente da sua aparência.

Estava sentada na cozinha, quando seu filho apareceu na porta, olhando-a curiosamente.

Quando a mãe iniciou o discurso que ensaiara para ajudá-lo a entender o que via, o menino se aproximou e aconchegou-se em seu colo, quietinho, a cabeça recostada em seu peito.

A mãe acariciou a cabecinha do filho e disse: "Você vai ver como daqui a pouco o meu cabelo vai crescer e eu vou ficar melhor, como era antes."

O menininho se levantou, olhou para a mãe pensativo. Com a espontaneidade de seus seis anos, respondeu: "Seu cabelo está diferente, mas seu coração está igualzinho."

A mãe não precisava mais esperar por "daqui a pouco" para melhorar. Com os olhos cheios de lágrimas, ela se deu conta de que já estava muito melhor.

ROCHELLE M. PENNINGTON

Toda criança nasce com a mensagem de que Deus não perdeu a esperança na humanidade.

RABINDRANATH TAGORE

Dance comigo

Quando somos jovens e sonhamos com amor e prazer, pensamos talvez em noites enluaradas em Veneza ou em passeios numa praia ao pôr-do-sol. Ninguém nos diz que os melhores momentos da vida são efêmeros, não planejados e quase sempre nos pegam de surpresa.

Não faz muito tempo, eu estava lendo uma história para Annie, minha filha de sete anos, quando percebi seu olhar fixo em mim. Tinha uma expressão longínqua, parecia meio hipnotizada, como se não desse importância à história que ouvia.

Perguntei o que estava pensando.

"Mamãe", ela murmurou. "Não consigo parar de olhar pra você. Você é tão bonita."

Quase derreti de emoção. Ela mal sabia que suas palavras

sinceras e amorosas me dariam grande apoio ao longo dos anos seguintes.

Pouco tempo depois, levei Sam, meu filho de quatro anos, a uma elegante loja de departamentos, onde a melodia de uma canção de amor nos levou até um pianista.

Sam e eu nos sentamos perto dele e o menino parecia petrificado pela melodia. De repente, Sam se levantou, veio para minha frente, tomou meu rosto em suas mãozinhas e disse: "Mamãe, dance comigo."

Se essas mulheres que circulam nos ambientes mais luxuosos e românticos soubessem a alegria que esse convite feito por um menino de rosto redondo e dentes de leite me proporcionou! Embora as vendedoras estivessem rindo de nós e nos apontando enquanto deslizávamos e rodopiávamos, eu não trocaria minha dança com este jovem charmoso e irresistível nem mesmo pelo universo inteiro.

JEAN HARPER

Os grampos de cabelo

Quando eu tinha sete anos, ouvi minha mãe dizer a uma de suas amigas que ela faria trinta anos no dia seguinte. Duas coisas me ocorreram: eu jamais imaginara que minha mãe fazia aniversário e não me lembrava de ela ter recebido um presente nesta data.

Bem – eu podia fazer alguma coisa a esse respeito. Raspei meu cofrinho e contei: vinte e cinco *cents* – cinco semanadas.

Fui à loja da esquina e falei com o dono, o senhor Sawyer, que queria comprar um presente de aniversário para minha mãe. Ele me mostrou tudo que se encaixava naquele preço. Havia uns bibelôs de cerâmica, mas ela já tinha muitos – e ia ter de espanálos uma vez por semana. Também havia umas caixinhas de doce, mas mamãe era diabética – não seriam apropriados.

Finalmente, ele me mostrou um pacote de grampos de cabelo. Os cabelos de mamãe eram longos e escuros e ela os lavava e enrolava duas vezes por semana. Quando os soltava no dia seguinte, parecia uma artista de cinema, com os cachos sobre os ombros. Então decidi que os grampos eram o presente ideal e paguei ao senhor Swayer com minhas moedas.

Levei os grampos para casa e os embrulhei em uma página de histórias em quadrinhos do jornal (não sobrara dinheiro para papel de presente). Na manhã seguinte, a família reunida à mesa do café, entreguei o pacote a mamãe, dizendo: "Feliz aniversário, mamãe!"

Aturdida, em silêncio e com lágrimas nos olhos, rasgou o papel. Quando viu os grampos, já estava soluçando.

"Desculpe, mamãe, não queria fazer você chorar. Só queria que tivesse um aniversário feliz."

"Mas estou contente, meu amor", disse, sorrindo entre lágrimas. "Sabe que é o primeiro presente de aniversário que recebo na vida?"

Ela então beijou meu rosto e agradeceu: "Obrigada, querida." Virou-se para meus irmãos e irmã: "Vejam, Linda me deu um presente de aniversário!" E fez o mesmo com meu pai: "Veja, Linda me deu um presente de aniversário!"

E foi para o banheiro lavar os cabelos e enrolá-los com os grampos novos.

Quando mamãe saiu da sala, meu pai me olhou, dizendo: "Linda, quando eu era menino, lá no sertão (meu pai sempre chamava de sertão o lugar onde nascera, nas montanhas), não nos preocupávamos em dar presentes de aniversário para adultos. Só para as crianças. E, na família de sua mãe, eram tão pobres que nem isso faziam. Mas vendo como você deixou sua mãe feliz hoje, acho que preciso pensar nisso. O que quero dizer, Linda, é que você inaugurou uma nova fase em nossa vida."

E inaugurei mesmo. Depois disso, mamãe passou a receber presentes de aniversário todos os anos, de meus irmãos, de minha irmã, de meu pai e de mim. E, claro, com o tempo, os filhos passaram a ter mais condições e a lhe dar presentes melhores. Quando eu tinha vinte e cinco anos, dei a ela um aparelho de som, uma tevê colorida e um forno de microondas (que ela trocou por um aspirador de pó).

Quando mamãe fez cinqüenta anos, todos os filhos se reuniram para lhe dar um presente espetacular: um anel com uma pérola rodeada de brilhantes. Quando meu irmão mais velho lhe entregou o anel na festa que fizemos para homenageá-la, admirou o presente e fez questão que passasse entre os convidados: "Não tenho filhos maravilhosos?", ela repetia.

Podíamos ouvir os murmúrios enquanto o anel passava de mão em mão.

Depois que os convidados se foram, fiquei para ajudar na arrumação. Estava lavando a louça na cozinha quando ouvi meus pais conversando na sala.

"Bem, Pauline", dizia meu pai, "que lindo anel. Acho que foi o melhor presente de aniversário de sua vida."

Meus olhos se encheram de lágrimas quando ouvi sua resposta: "Ted", ela disse docemente, "claro que é um anel lindo. Mas sabe qual foi o melhor presente de aniversário que já recebi? Aquela caixa de grampos."

LINDA GOODMAN

Entre o tempo gasto indo para a escola e fazendo o dever de casa é difícil encontrar um espaço para dar atenção à minha boneca.

O jogo da maternidade

Você com certeza conhece jogos de perguntas e respostas em que se ganham ou perdem peças. Sempre pensei que ser mãe é mais ou menos participar de um jogo assim. Parece que passamos a maior parte do nosso tempo num labirinto, tateando a cada minuto da vida em família, sem ter certeza se fizemos pontos ou não.

Assim, preparei meu próprio jogo para as mães. As regras são simples – você começa com dez peças e ganha ou perde outras ao longo do jogo.

Está pronta? Vamos lá!

Primeira casa:

> QUADRADO 1 – Você está esperando seu primeiro filho. Se você olha para sua cintura engrossando e diz: "Será que eu vou voltar ao meu

manequim?", perde duas pedras, pelo seu pensamento ansioso.

Quadrado 2 – Dois anos depois, você está prestes a ter o segundo filho. Para evitar ciúmes do primeiro, você passa horas se dedicando a ele e até lhe dá um boneco para ele mesmo alimentar, dar banho e ninar. Quando o bebê chega, você afirma gloriosa para si mesma e para os outros: "Ele não sentiu qualquer ciúme." Perde uma pedra por duas razões: por tratar o ciúme como um sentimento anormal e por negar o que se passa com seu filho.

Quadrado 3 – O seu mais velho anunciou no jantar que vai representar uma árvore na peça do colégio e que precisa de uma fantasia para amanhã de manhã. Se fica acordada até três da manhã e faz uma roupa inovadora e original, perde três pedras, por dar um exemplo impossível para todas nós. Mas se você o faz meter-se num saco de papel pardo, com buracos para a cabeça e para os braços e cola com fita adesiva folhas verdes na frente e atrás, ganha cinco pedras, pois acabou de nos redimir.

Quadrado 4 – Agora são três crianças e estão na escola. Você descobriu que "mãe" é sinônimo de "motorista". Num dia típico, você deixou a mais nova na aula de música e foi com os meninos ao treino de futebol. Dali voltou para apanhar a menina e deixar os outros jogadores do time em suas casas. O jantar é corrido porque alguém tem ensaio do coro às sete horas. Na hora de dormir, você descobre que está sobrando uma criança. Mas não se apavora... isso já aconteceu antes e logo o telefone vai tocar, pois uma mãe descobriu que lhe falta uma criança. Você ganha cinco peças pela resistência.

Quadrado 5 – As gracinhas que você amorosamente acomodou na cama por tantos anos e para quem contou histórias de repente tratam você como se fosse uma débil mental. Ficam envergonhados de serem vistos em sua companhia. Adivinhe: você é mãe de adolescentes, essas estranhas criaturas que pensam ter mais de dois metros de altura e serem à prova de bala. Ganha oito peças por heroísmo sob fogo cerrado. Nessa fase, lembre-se sempre de que você carrega a arma mais poderosa – a chave do carro!

Quadrado 6 – Você sabe que seu filho mais velho foi para a faculdade quando vê a pilha de roupa suja jogada na sala da frente. Se você a apanha para separar, lavar e passar, como antigamente... perde três peças. Por favor, não faça isso! Se, em vez disso, você o pega pela mão e mostra onde as máquinas de lavar e secar estão desde que ele era pequeno, ganha cinco peças. As coisas mais importantes da vida não são ensinadas na faculdade, lembre-se.

QUADRADO 7 – As crianças, por milagre, se tornaram adultos responsáveis. Por acaso, você ouve o mais velho contando para o filho dele as mesmas histórias que você lhe contava e você chora emocionada. Não se desespere – essas coisas são as riquezas da maternidade e esse jogo trata exatamente disso.

Parabéns. Você ultrapassou a linha de chegada e está na hora de somar os pontos. O jogo se chama "maternidade" e, se não perdeu todas as suas peças, você ganhou!

JACKLYN LEE LINDSTROM

As riquezas de mamãe

Deve haver algo muito especial numa mãe que consegue educar uma filha sem que ela tome consciência da pobreza em que vive. Eu não sabia que era pobre, até a segunda série. Tinha tudo de que precisava: nove irmãos e irmãs para brincar, livros para ler, uma boneca feita de retalhos e roupas limpas que mamãe habilidosamente remendava ou, muitas vezes, fazia. Minha mãe lavava e trançava meu cabelo à noite para eu ir à escola no dia seguinte, meus sapatos marrons estavam sempre limpos e engraxados. Eu era feliz na escola, adorava o cheiro de lápis novos e do papel grosso que a professora distribuía para nossos trabalhos. Absorvia os conhecimentos como uma esponja, ganhando o cobiçado privilégio de levar mensagens para a sala do diretor durante uma semana.

Ainda me lembro do dia em que, com um sentimento de

orgulho, subi sozinha os degraus da escola. Indo para minha sala, encontrei duas meninas mais velhas. Uma segredou para a outra: "Olhe, essa é a menina pobre." E elas riram. Com o rosto vermelho e segurando as lágrimas, fiquei transtornada.

No caminho para casa, tentei eliminar os sentimentos conflitantes que os comentários das garotas me causaram. Fiquei imaginando por que as meninas me consideravam pobre. Olhei de modo crítico para meu vestido e, pela primeira vez, notei como era desbotado, um vinco na bainha denunciando que tinha sido aproveitado. Sei que os pesados sapatos de menino eram os únicos que evitavam que eu andasse na lateral dos pés, mas de repente me senti envergonhada por serem tão feios.

Quando cheguei, tive pena de mim. Senti como se estivesse entrando na casa de um estranho, olhando para tudo de modo crítico. Vi o tapete velho na cozinha, manchas de dedos na pintura meio descascada das portas. Abatida, não respondi à saudação alegre de minha mãe que preparava biscoitos de aveia para o lanche. Tudo me pareceu feio e acanhado. Fiquei trancada no quarto até a hora do jantar, imaginando como falar com mamãe sobre pobreza. Por que ela não me contara? Por que tive de descobrir por outras pessoas?

Enchi-me de coragem e fui para a cozinha: "Nós somos pobres?", perguntei de repente, meio desafiadora. Esperei que ela negasse, contestasse ou, pelo menos, desse uma explicação satisfatória, para que eu não me sentisse tão mal. Minha mãe me olhou contemplativamente, sem nada dizer por um instante.

"Pobres?", repetiu pousando a faca com que descascava

batatas. "Não, não somos pobres. Olhe para tudo que temos", ela disse, apontando para meus irmãos que brincavam na outra sala.

Através dos olhos de minha mãe pude ver o fogo da lareira que enchia a casa com seu calor, as cortinas coloridas e os tapetes de retalhos feitos por ela e que enfeitavam a casa, o prato cheio de biscoitos de aveia sobre a cômoda. Do lado de fora, o quintal que oferecia alegria e aventura para dez crianças. Ela continuou: "Talvez algumas pessoas pensem que somos pobres em matéria de dinheiro, mas temos tanto..." E, com um sorriso, minha mãe se virou para preparar mais uma refeição para sua família, não se dando conta de que, a cada noite, ela alimentava muito mais do que estômagos vazios. Ela alimentava meu coração e minha alma.

MARY KENYON

Brincar também é importante

Perdoai-me, Senhor, por todas as tarefas que hoje ficaram por fazer. Mas, de manhã, quando meu filho, com seus passinhos incertos, entrou no quarto e pediu: "Mamãe, quer brincar comigo?", eu simplesmente tive de dizer sim.

E entre os quebra-cabeças e caminhões, cubos de madeira e bonecos, velhos chapéus, livros e risadas, dividimos mil pensamentos especiais, centenas de esperanças, sonhos e muitos abraços. E quando à noite, na hora de rezar, ele juntou as mãozinhas e falou baixinho: "Obrigado, Deus, por mamãe e papai, pelos meus brinquedos, pelo cachorro-quente, pelo sorvete de chocolate e por mamãe brincar comigo", eu sabia que tinha sido um dia bem gasto.

E tinha certeza de que o Senhor entenderia.

JAYNE JANDON FERRER

Flores para o Dia das Mães

Quando meu marido anunciou calmamente que, após onze anos de casamento, havia dado entrada em nosso divórcio e estava saindo de casa, meu primeiro pensamento foi para os meus filhos. O menino tinha apenas cinco anos e a menina, quatro. Será que eu conseguiria nos manter unidos e passar para eles um sentido de "família"? Será que eu, criando-os sozinha, conseguiria manter o nosso lar e ensinar-lhes a ética e os valores dos quais certamente precisariam para a vida? A única coisa que eu sabia era que precisava tentar.

Freqüentávamos a igreja todos os domingos. Durante a semana, eu arranjava tempo para rever os deveres de casa com eles e, freqüentemente, discutíamos a importância de fazermos as coisas certas. Isso me tomava tempo e energia quando eu tinha pouco de ambos para dar. Mas o pior era não saber se realmente estavam absorvendo aquilo tudo.

Ao entrarmos na igreja no Dia das Mães, dois anos após o divórcio, notei carrocinhas cheias de vasos com as mais lindas flores ladeando o altar. Durante o sermão, o pastor disse que, a seu ver, ser mãe era uma das tarefas mais difíceis da vida e que merecia não só reconhecimento como, também, recompensa. Assim, pediu que cada criança fosse até a frente da igreja para escolher uma linda flor e entregá-la à mãe como símbolo do quanto era amada e estimada.

De mãos dadas, meu filho e minha filha percorreram o corredor com as outras crianças. Juntos, refletiram sobre qual planta trazer para mim. Nós havíamos passado momentos muito difíceis e esse pequeno gesto de valorização era tudo que eu precisava. Olhei aquelas lindas begônias, as margaridas douradas e os amores-perfeitos violetas e pus-me a planejar onde plantar o que quer que escolhessem para mim, pois certamente trariam uma linda flor como demonstração de seu amor.

Meus filhos levaram a tarefa muito a sério e olharam cada vaso. Muito depois de as outras crianças já terem retornado aos seus lugares e presenteado suas mães com uma linda flor, meus dois ainda escolhiam. Finalmente, com um grito de alegria, acharam algo bem no fundo. Com sorrisos exuberantes a iluminar seus rostos, avançaram satisfeitos pelo corredor até onde eu estava sentada e me presentearam com a planta que haviam escolhido como demonstração de seu apreço por mim pelo Dia das Mães.

Fiquei olhando estarrecida para aquele pequeno ser roto,

murcho e doentio que meu filho estendia em minha direção. Aflita, aceitei o vaso de suas mãos. Era óbvio que os dois haviam escolhido a menor planta, a mais doente de todas – nem flor tinha. Olhando para seus rostinhos sorridentes, percebi o orgulho que sentiam daquela escolha e, sabendo o quanto haviam demorado para selecionar aquela planta em especial, sorri e aceitei a lembrança.

Mais tarde, no entanto, tive de perguntar – de todas aquelas flores maravilhosas, o que os havia feito escolher justamente aquela para me dar?

Todo orgulhoso, meu filho declarou:

– É que aquela parecia precisar de você, mamãe.

Enquanto as lágrimas escorriam pelo meu rosto, abracei meus dois filhos, bem apertado. Eles acabavam de me dar o maior presente de Dia das Mães que jamais poderiam ter imaginado. Todo o meu trabalho e sacrifício não havia sido em vão – eles iam crescer perfeitamente bem.

PATRICIA A. RINALDI

O telefonema à meia-noite

Uma das necessidades humanas mais antigas é ter alguém para se perguntar onde você está quando não volta para casa à noite.

MARGARET MEAD

Todos nós conhecemos a sensação de receber aquele telefonema no meio da noite. O telefonema daquela noite não foi diferente. Pulando da cama para atender àquela convocação tilintante, focalizei os números vermelhos e luminosos do relógio. Meia-noite. Pensamentos aterrorizantes enchiam minha mente, um tanto atordoada pelo sono, quando agarrei o fone.

– Alô?

Com o coração ribombando dentro do peito, segurei o fone com mais força ainda e olhei para meu marido, que agora se virava para ficar de frente para mim.

– Mamãe? – A estática mal permitia que eu ouvisse o sussurro. Mas meus pensamentos imediatamente voltaram-se para minha filha. Quando o som desesperado de uma voz jovem e chorosa ficou mais nítido através da linha telefônica, tateei em busca de meu marido e pressionei seu punho.

– Mamãe, eu sei que é tarde. Mas não... não diga nada até eu terminar. E antes que você pergunte, sim, eu andei bebendo. Quase perdi a direção e saí da estrada há alguns quilômetros e...

Resfoleguei – um arquejo brusco, entrecortado. Soltei meu marido e pressionei a mão de encontro à testa. O sono ainda anuviava a minha mente e tentei vencer o pânico. Algo não estava certo.

– Fiquei tão assustada. Só conseguia pensar no tamanho da sua dor se um policial batesse à sua porta para lhe dizer que eu estava morta. Eu quero... quero ir para casa. Sei que você está doente de tanta preocupação. Eu deveria ter ligado há dias, mas estava com tanto medo... com tanto medo...

Soluços do mais profundo sentimento fluíram de dentro do fone e desaguaram no meu coração. Imediatamente, visualizei o rosto de minha filha e meus sentidos enevoados pareceram clarear.

– Acho...

– Não! Por favor, deixe-me terminar! Por favor! – ela implorava, menos por zanga do que por desespero.

Fiz uma pausa e tentei pensar no que dizer. Antes que pudesse ir em frente, ela continuou:

– Estou grávida, mamãe. Sei que não deveria estar bebendo agora... justamente agora, mas estou com medo, mamãe. Com tanto medo!

A voz se calou outra vez e eu mordi o lábio sentindo os olhos umedecerem. Olhei para o meu marido sentado, imóvel, fazendo movimentos com a boca sem emitir um único som: “Quem é?”

Balancei a cabeça e, como não respondi, ele pulou da cama e deixou o quarto, retornando segundos depois com o sem-fio colado ao ouvido.

Ela deve ter ouvido o clique na linha, pois continuou:

– Você ainda está me ouvindo? Por favor, não desligue! Preciso de você. Estou me sentindo tão sozinha.

Apertei o telefone na mão e fitei meu marido em busca de orientação.

– Estou aqui, eu não desligaria o telefone – disse eu.

– Eu deveria ter lhe contado, mamãe. Sei que deveria ter lhe contado. Mas, quando a gente conversa, você só fica dizendo o que eu devo fazer. Lê todos aqueles folhetos sobre como conversar com os filhos sobre sexo, e tudo o mais, mas só faz falar. Você não me escuta. Nunca deixa eu lhe dizer como me sinto. É como se o que sinto não tivesse importância. Como você é minha mãe, acha que tem todas as respostas. Mas algumas vezes não preciso de respostas. Só quero alguém que me escute.

Engoli o bolo que se formava em minha garganta e fiquei olhando, fixamente, para os folhetos de "Como conversar com seus filhos" espalhados sobre a mesinha-de-cabeceira.

– Estou ouvindo – sussurrei.

– Sabe, lá na estrada, quando consegui controlar o carro outra vez, comecei a pensar no bebê, em cuidar dele. Então, vi o telefone público e foi como se pudesse ouvir você dizer que ninguém deve beber e dirigir. Então chamei um táxi. Quero ir para casa.

– Que bom, meu bem – afirmei, o alívio inundando o meu peito. Meu marido chegou mais perto, sentou-se ao meu lado e entrelaçou os dedos nos meus. Compreendi, pelo toque, que ele achava que eu estava fazendo e dizendo a coisa certa.

– Mas, sabe, acho que já consigo dirigir.

– Não! – vociferei. Meus músculos enrijeceram e eu apertei ainda mais a mão de meu marido. – Por favor, espere o táxi. Não desligue até o táxi chegar.

– Eu só quero ir para casa, mamãe.

– Eu sei. Mas faça isso pela mamãe. Espere o táxi, por favor.

Fiquei ouvindo aquele silêncio, amedrontada. Quando a resposta não veio, mordi o lábio e fechei os olhos. De alguma maneira, eu precisava impedir que ela dirigisse.

– Pronto, o táxi chegou.

Só senti a tensão diminuir quando ouvi alguém ao fundo perguntar sobre um táxi.

– Estou indo para casa, mamãe. – Então fez-se um clique e o telefone ficou mudo.

Levantando da cama com lágrimas formando em meus olhos, atravessei o corredor e fui até o quarto de minha filha de dezesseis anos. O silêncio sombrio fazia pesar o ar. Meu marido chegou por trás de mim, passou os braços em torno de meu corpo e pousou o queixo no topo de minha cabeça.

Sequei as lágrimas das faces.

– Precisamos aprender a escutar – disse-lhe.

Ele me virou para que eu pudesse encará-lo.

– E vamos aprender. Você vai ver. – Então me abraçou e eu afundei a cabeça em seu ombro.

Deixei que ele me abraçasse por diversos minutos, então me

afastei e cravei os olhos na cama. Ele me fitou por um instante e, então, perguntou:

– Acha que algum dia ela vai se dar conta de que discou o número errado?

Olhei para nossa filha, adormecida, e novamente para ele.

– Talvez não tenha sido tão errado assim.

– Mãe, pai, o que é que vocês estão fazendo? – perguntou aquela vozinha jovem, chegando abafada de debaixo do cobertor.

Aproximei-me de minha filha, que agora se encontrava sentada, olhos fitando a escuridão.

– Estamos treinando – respondi.

– Treinando o quê? – murmurou ela, deitando-se outra vez sobre o colchão, os olhos já fechados, o sono chegando.

– A escutar – disse eu, bem baixinho, roçando a mão levemente em sua face.

CHRISTIE CRAIG

Sabe qual o presente que eu quero, vó?

Você!

Mães e filhas

– Você não vai esquecer de trazer o espremedor de batatas, vai? – perguntei à minha mãe logo depois de lhe contar que teria de fazer uma mastectomia. Mesmo aos oitenta e dois anos de idade e a quatro mil e oitocentos quilômetros de distância, ela sabia o que eu queria dizer com aquilo: purê de batatas bem ralinho.

Era isso que preparava para mim a cada doença ou percalço de minha infância – servido numa tigela de sopa com uma reluzente colher redonda. Mas eu havia tido sorte quando criança e raramente adoecia. Era mais freqüente que aquela batata medicinal resolvesse algum desapontamento ou resfriado. Desta vez, no entanto, a doença era séria.

Chegando no vôo da meia-noite, vindo da Virgínia, minha mãe me pareceu fresca como uma margarida quando passou pela porta de minha casa, na Califórnia, no dia em que voltei do hospital. Eu mal conseguia manter os olhos abertos, mas a última coisa que vi antes de adormecer foi mamãe abrindo o zíper da mala cuidadosamente arrumada para pegar o espremedor de batatas de sessenta anos de idade. Aquele que ganhou no chá de panelas, com um cabo de madeira já gasto e anos de recordações.

Ela estava na cozinha espremendo batatas para fazer purê no dia em que lhe contei, chorosa, que teria de me submeter a uma quimioterapia. Ela baixou o espremedor e me olhou diretamente nos olhos.

– Fico com você o tempo que for necessário – disse-me ela. – Não tenho nada mais importante a fazer nesta vida do que ajudá-la a ficar bem. – Eu sempre achara que era a teimosa da família, mas nos cinco meses que se seguiram percebi que herdara essa característica muito honestamente.

Minha mãe decidiu que eu não ia morrer antes dela. Simplesmente não aceitaria aquilo. Me levava para fazer caminhadas diárias até mesmo quando eu não agüentava passar da entrada da garagem. Amassava as pílulas que eu tinha de tomar e as enfiava em geléias porque, até mesmo na meia-idade e com uma filha crescida, eu não conseguia engolir comprimidos muito melhor do que quando era criança.

Quando meus cabelos começaram a cair, ela comprou os chapéus mais engraçadinhos para mim. Me dava refrigerante de gengibre sem gelo numa taça de cristal para acalmar a minha barriga e ficava acordada comigo nas noites de insônia. Servia-me chá em xícaras de porcelana.

Quando eu estava para baixo, ela estava para cima. Quando ela estava para baixo, eu devia estar dormindo. Nunca deixou que eu a visse assim. E, no final, eu fiquei boa. E voltei a escrever.

Descobri que o Dia das Mães não acontece em algum domingo de maio e sim em todos os dias em que se tem a sorte de ter por perto uma mãe que nos ama.

PATRICIA BUNIN

Se eu soubesse como é maravilhoso ter netos, eu os teria antes dos filhos.

LOIS WYSE

A fé se aprende pelo amor

Quando lembro a figura de minha mãe me vem à memória o livro escrito sobre ela por todos os filhos e netos *(Mãe Helena, a Oma* – Curitiba, 1995). Minha mãe, extremamente dedicada a meu pai, sabia também cultivar no coração dos filhos o amor a todas as pessoas e o respeito para com os idosos e as crianças.

A recordação mais antiga que guardo de mamãe é da época em que eu tinha uns três anos de idade: ela me revelou que eu tivera uma irmãzinha chamada Irma que morrera com um ano e meio. Era véspera de Finados. No dia seguinte iríamos todos rezar pelos falecidos. Passei a tarde e a noite pensando como teria sido minha irmãzinha falecida. "Irma não pode mais voltar pra ficar conosco?", perguntei a mamãe. Ela explicou que os mortos estão vivos, mas com Deus, numa grande família em que tudo é só alegria, e que eles nos ajudam. E prometeu: "Amanhã, na capela da colônia", eu iria sentir isso.

Sonho e excitação se misturaram. "Amanhã" seria o dia! Iria ver como Irma, bem viva junto a Deus, nos apareceria. Eu iria vê-la! Sabia que a capela, a maior e mais bela construção da colônia, era a Casa de Deus. Não me lembro se a expectativa me deixou dormir aquela noite.

Calça de brim, camisa estampada, procurei meus tamancos. Só cheguei a conhecer sapatos aos oito anos. Arrumado, andava à frente de todos, a caminho da capela.

Ocupamos o terceiro banco. O altar, de madeira esculpida, devia estar encobrindo o reino da alegria onde Deus se encontrava com sua família, minha irmãzinha à nossa espera.

Tudo começou com o canto. Era o povo e o coral, tão presente nas colônias alemãs, que se revezavam com as orações "puxadas" pelo tio Jacó. De vez em quando me levantava do banco para ver se não acontecia o que fora prometido por mamãe. Irma iria aparecer. Talvez em meio aos anjos, perto de Deus Pai. Iria reconhecê-la de imediato e buscá-la para trazer comigo, saltitando morro abaixo, percorrendo os duzentos metros que separavam nossa casa da capela.

Em certo momento houve uma pausa. "É agora", pensei. Olhei para o lado. Todos de cabeça abaixada refletiam. Mas eu queria ver, e iria ver. Disso estava seguro.

A hora e meia de cantos, preces e intenções sempre me parecera comprida demais. Naquele dia, não, porque esperava o principal: ver a família de Deus e os amigos dele, entre os quais Irma, que eu amava sem nunca a ter visto. Devia estar vestida de branco, ou de vestido de chita colorido. Cabelos castanhos ou louros. Alegre, muito alegre, como todos em casa.

Tive um choque quando papai se levantou e me tomou pela mão. Ele, o chefe da colônia, certamente teria o direito de encontrar-se primeiro com Deus, que era chefe maior ainda e pai de família numerosa. Papai foi saindo do banco, fez uma reverência na direção do altar e se dirigiu à porta da saída da capela.

Talvez o encontro fosse à frente da capela, o lugar mais festivo da colônia, onde se faziam as festas, os leilões e as quermesses. Lá é que se cortavam as melancias arrematadas, os bolos comprados e as garrafas de gasosa, o refrigerante mais apreciado no lugar.

Todavia, à frente da capela só restavam o vazio e o verde das pastagens. Papai me segurou mais firme pela mão enquanto eu buscava descobrir onde estava mamãe para perguntar-lhe quando Irma iria aparecer.

Fomos ao cemitério, a cinqüenta passos dali. Paramos à frente de um túmulo cercado de tijolos, enfeitado com muitas flores. Aí chegou mamãe: rosto sereno, quase alegre. Ela era sempre assim quando acabava de rezar. Reclamei:

– Mãe, não vi a Irma. Você prometeu que ela voltava hoje.

Nem sei como cheguei a falar tanto. O auge da emoção já se misturava com a decepção. Minha mãe acolheu, carinhosa, minha decepção:

– Filho, vamos rezar mais um pouco.

Foi o tempo do pai-nosso e ave-maria, as únicas orações que eu sabia rezar junto. Quando acabou a prece, ela encostou a cabeça na minha, pôs a mão em meu ombro e disse:

– A gente vê Deus quando reza direito e sente que ele está perto de nós para nos ajudar em tudo. Sua irmã Irma vai ser sua companheira durante toda a vida para ajudá-lo. Só que você não pode vê-la como vê a casa, o cachorrinho e a gente. Nós vemos Deus e os amigos dele quando gostamos deles. É o coração que vê.

Não entendi tudo. Mas, na vida, muitas vezes me soou a frase: "É o coração que vê Deus e seus amigos."

A fé se aprende pelo amor.

D. Paulo Evaristo Arns

Extraído do livro *Da Esperança à Utopia*

Aprendendo a escutar

Um ano, viajei para uma conferência de escritores. Ao chegar em casa, em Atlanta, minha família me aguardava. Depois de nos abraçarmos, comecei a lhes contar sobre a viagem. Ou, pelo menos, tentei. Todos queriam me contar alguma novidade diferente – especialmente Jeremy, de oito anos. Pulava para cima e para baixo para ser ouvido e falava mais alto do que as outras crianças, mais alto até do que meu marido, Jerry.

Todo mundo precisa de alguma coisa de mim, pensei. Não querem nem saber sobre a minha viagem. O que é mesmo que Jeremy não pára de repetir?

– Cartolina, mamãe! Eu preciso de cartolina. Vamos ter um concurso lá na escola.

Acalmei-o, com evasivas, prometendo que conversaríamos mais tarde. De volta ao lar, me reacostumei ao telefone, à campainha, a separar a roupa suja, a participar do revezamento de mães que levam as crianças na escola, a responder perguntas e a secar líquidos entornados. Eu lutava contra a arrepiante certeza de que, por mais que tentasse, não conseguia acompanhar as necessidades de minha família. Enquanto andava de um lado para o outro, apressada, tentando decidir o que fazer a seguir, Jeremy me lembrava:

– Manhê, preciso de cartolina.

Pouco a pouco, entretanto, passou a falar mais baixo, quase como se falasse com ele mesmo. Assim, coloquei o pedido de Jeremy no final da minha longa lista de afazeres. Talvez ele simplesmente desista de falar nessa cartolina, pensei, esperançosa.

Em meu terceiro dia em casa, consegui roubar quinze minutinhos para tentar digitar um artigo. Sentada diante da máquina de escrever, ouvi a secadora parar. Hora de colocar outro cesto de roupa para secar. Dois telefonemas importantes precisavam ser retornados. Uma de minhas filhas havia implorado comigo, diversas vezes, para ouvi-la recitar parte de "Os Cantos de Cantuária". Uma das gatas passou mais de uma hora miando na minha cara, tentando fazer com que a alimentasse. Alguém havia derramado suco de laranja no chão da cozinha e lambuzado tudo com uma toalha seca. Já passava da hora de começar a preparar o jantar e eu ainda nem havia almoçado. Não obstante, escrevi alegremente durante alguns parcos minutos.

Uma pequena sombra caiu sobre a minha folha de papel. Eu sabia quem era antes mesmo de erguer a vista. Levantei os olhos, mesmo assim. Jeremy ficou ali, de pé, me observando calado. Oh, Senhor, permita que ele não toque no assunto outra vez. Eu sei que precisa de cartolina. Mas eu preciso escrever. Sorri muito sutilmente para Jeremy e continuei a digitar. Ele me olhou por mais alguns minutos e virou-se para ir embora. Por pouco não o ouço comentar:

– Tudo bem, o concurso termina amanhã mesmo.

Eu queria tanto escrever que, com um esforço mínimo, poderia ter deixado de ouvir aquela observação. Mas não dava para ignorar a voz silenciosa que falou, com urgência, direto ao meu coração. Vá comprar a cartolina dele – agora! Desliguei a máquina de escrever elétrica.

– Vamos comprar cartolina, Jeremy.

Ele parou, virou e me olhou sem sorrir e sem nada dizer – quase como se não tivesse me ouvido.

– Vamos – eu o apressei, agarrando a bolsa e as chaves do carro.

Mesmo assim, ele não se mexeu.

– Precisa comprar mais alguma coisa, mamãe?

– Não, só a sua cartolina.

Caminhei em direção à porta. Ele molengou um pouco e perguntou:

– Está indo à papelaria só por minha causa?

Parei e baixei a cabeça para olhá-lo. Realmente olhá-lo. Marcas do que quer que tivesse comido na escola manchavam sua camisa. Os sapatos largos desamarrados e os restos de suco de laranja que viravam para cima os cantos daquela boquinha sem sorriso conferiam a Jeremy a aparência de um palhacinho.

Subitamente, uma expressão de puro deleite invadiu o seu rosto, apagando qualquer traço de incredulidade. Não creio que jamais esquecerei aquele momento. Dali em diante, passou a movimentar-se com incrível rapidez e, correndo para a base da escada, atirou a cabeça para trás e gritou:

– Ei, Julie, Jen, Jon, a mamãe vai me levar à papelaria! Alguém precisa de alguma coisa?

Ninguém respondeu, mas ele não pareceu notar. Correu para o carro com expressão de manhã de Natal. Na loja, em vez de correr à minha frente, segurou firme a minha mão e começou a falar muito rápido, contando sobre o concurso.

– O assunto é prevenção contra incêndios. A professora anunciou há muito tempo e, quando falei com você, você disse que a gente falava disso mais tarde. Aí, você viajou. O concurso termina amanhã. Vou ter de dar um duro danado. E se eu ganhar?

E ele foi em frente com infindável entusiasmo, como se tivesse pedido que eu comprasse a cartolina uma única vez.

Jeremy não queria um pedido de desculpas. Isso teria estragado a sua alegria. Então, me limitei a escutá-lo. Prestei mais atenção no que dizia do que jamais havia prestado, para quem quer que fosse. Depois que comprou a cartolina, eu perguntei:

– Vai precisar de mais alguma coisa?

– Você tem bastante dinheiro? – sussurrou.

Sorri para ele, sentindo-me muito rica de repente.

– Tenho, por acaso hoje eu estou cheia de dinheiro. Do que mais precisa?

– Você pode comprar uma cola só para mim e cartolina colorida?

Peguei os artigos restantes e, ao chegarmos ao caixa, Jeremy, que normalmente não faz confidências a estranhos, disse:

– Vou fazer um pôster. Minha mãe me trouxe até aqui para comprar o material. – Ele tentava soar natural, mas o rosto o entregava.

Passou a tarde toda trabalhando no pôster, silenciosamente e com enorme determinação.

O vencedor do concurso foi anunciado pelo alto-falante da escola dois dias depois. Jeremy ganhou. Seu pôster foi então inscrito no concurso do condado. Venceu este também. O diretor da escola escreveu-lhe uma carta e anexou um cheque de cinco dólares. Jeremy escreveu uma história sobre o concurso. Deixou-a sobre a cômoda e eu a li. Uma frase saltou aos meus olhos: "Então a mamãe parou de bater à máquina, escutou o que eu estava dizendo e me levou, eu sozinho, na papelaria."

Algumas semanas mais tarde, um imenso envelope pardo chegou pelo correio endereçado a Jeremy. Ele o abriu com um rasgão e leu em voz alta – lentamente e quase sem acreditar – o Certificado de Honra: "Este documento atesta que Jeremy West tem a honra de chegar às finais estaduais do Concurso de Pôsteres da Geórgia com o tema Prevenção contra Incêndios." Fora assinado pelo tesoureiro-geral do estado.

Jeremy se atirou no chão e deu cambalhotas, rindo bem alto. Emolduramos o certificado e, com freqüência, quando o olho, lembro-me de que, por muito pouco, quase dera as costas para o seu pedido: de que comprasse uma cartolina para ele.

MARION BOND WEST

Amor de mãe

Estou convencido de que o maior legado que podemos deixar para os nossos filhos são lembranças felizes.

OG MANDINO

Quando penso na família de Clara Harden, o que me vem à mente é a felicidade. O som de risos sempre me acolheu em minhas visitas.

O modo de vida deles era muito, mas muito diferente do meu. A mãe de Clara acreditava que alimentar a mente era mais importante do que realizar tarefas triviais. Para ela, cuidar da casa não era uma grande prioridade. Com cinco filhos de idades variadas – indo de Clara, a mais velha, com doze anos, a um bebê de dois anos –, essa falta de ordem às vezes me incomodava, mas nunca por muito tempo. Aquela casa vivia imersa em algum estado de caos, com pelo menos uma pessoa em crise – real ou imaginária. Mas eu adorava fazer parte daquele bando turbulento, com sua atitude despreocupada e positiva perante a vida. A mãe de Clara nunca estava ocupada demais para nós.

Parava de passar roupa para nos ajudar com algum projeto da equipe de chefes de torcida ou então desligava o aspirador de pó para convocar a trupe inteira para um passeio no bosque para colher espécimes para o projeto de ciências de algum filho.

Nunca dava para saber o que você ia acabar fazendo quando visitava aquela família. Suas vidas eram repletas de divertimento e de amor – de muito amor.

Assim, o dia em que as crianças da família Harden saltaram do ônibus escolar com olhos vermelhos e inchados, eu soube que algo de muito errado havia acontecido. Corri até Clara e puxei-a para um canto implorando para ouvir o que havia acontecido, mas sem estar preparada para a resposta. Na noite anterior, a mãe de Clara lhes contara que tinha um tumor terminal no cérebro e que lhe restava apenas alguns meses de vida. Eu me lembro tão bem daquela manhã. Clara e eu fomos para trás do prédio da escola onde soluçamos, abraçadas, sem saber como dar fim àquela dor incrível. Ficamos ali, compartilhando o nosso pesar até tocar o sinal para a primeira aula.

Vários dias se passaram até eu ir à casa dos Harden outra vez. Apreensiva com a angústia e o sofrimento e habitada por uma imensa culpa por minha vida ter continuado igual, fui protelando até minha mãe me convencer de que não podia negligenciar minha amiga e sua família num momento de tristeza.

Então fui fazer-lhes uma visita. Quando entrei na casa, para minha surpresa e deleite, ouvi música alegre e uma barulheira de vozes numa animada discussão entrecortada por risadas e gemidos queixosos. A Sra. Harden estava sentada no sofá jogando Banco Imobiliário com todos os filhos à sua volta. Todos me receberam com sorrisos enquanto eu lutava para conter o meu assombro. Não era isto que eu esperava.

Finalmente, Clara desvencilhou-se do jogo e fomos para o seu quarto, onde ela me explicou o que estava acontecendo. A mãe lhes dissera que o maior presente que poderiam lhe dar era tocar a vida como se nada estivesse errado. Queria que suas últimas recordações fossem felizes e todos haviam concordado em se esforçar.

Um dia, a mãe de Clara me convidou para um evento especial. Corri para lá e a encontrei com um imenso turbante dourado na cabeça. Ela me explicou que havia resolvido usar aquilo em vez de uma peruca, já que os cabelos começavam a cair. Colocou miçangas, cola, hidrográficas coloridas, tesouras e pano sobre a mesa e nos instruiu a enfeitá-lo, enquanto permanecia sentada como o mais nobre marajá. Transformamos um turbante sem graça num objeto de chamativa beleza, cada um de nós dando o seu toque especial. Mesmo enquanto discutíamos onde colocar a bugiganga seguinte, eu me dei conta do quanto a Sra. Harden estava pálida e frágil. Mais tarde, tiramos uma foto com a mãe de Clara, cada qual apontando orgulhosamente para a sua contribuição para o turbante. Uma recordação divertida de se guardar – muito embora o temor silencioso de que ela nos deixasse não estivesse muito longe.

Finalmente chegou o triste dia em que a mãe de Clara morreu. Nas semanas que se seguiram, a angústia e a dor dos Harden foi algo impossível de descrever.

Então, um dia, cheguei na escola e encontrei uma Clara muito animada, rindo e gesticulando alvoroçada diante dos colegas de turma. Ouvi o nome de sua mãe ser repetido com freqüência. A velha Clara estava de volta. Quando cheguei ao seu lado, ela me explicou o motivo de sua alegria. Naquela manhã, ao vestir a irmãzinha mais nova para a escola, havia encontrado um bilhete engraçado que a mãe escondera dentro da meia da menina. Era como ter a mãe de volta.

Naquela tarde, a família Harden virou a casa de cabeça para baixo à caça de mais recados. Cada nova mensagem encontrada era compartilhada, embora algumas tenham passado despercebidas. No Natal, ao tirarem os enfeites do sótão, encontraram uma maravilhosa mensagem de Natal.

Nos anos que se seguiram, as mensagens continuaram a surgir, esporadicamente. Uma emergiu até mesmo na formatura de Clara, e outra, no dia de seu casamento. A mãe havia confiado cartas a amigos, que as entregavam em cada ocasião especial. Até mesmo no dia em que nasceu o primeiro filho de Clara, chegou um cartão com uma comovente mensagem. Cada filho recebeu esses bilhetes curtos e engraçados ou então cartas repletas de amor, até o último se tornar adulto.

O Sr. Harden se casou outra vez e no dia de seu casamento um amigo lhe entregou uma carta escrita pela esposa – a ser lida para os filhos – na qual ela lhe desejava felicidades e instruía os filhos a cercarem a madrasta de amor, pois tinha imensa fé de que o pai jamais escolheria uma mulher que não fosse generosa e carinhosa com seus preciosos rebentos.

Muitas vezes pensei na dor que a mãe de Clara deve ter sentido ao escrever aquelas cartas para os filhos. Também imaginei a alegria traquinas que a invadia enquanto escondia aqueles bilhetinhos. Mas em nenhum momento deixei de me impressionar com as recordações maravilhosas que ela proporcionou para aquelas crianças apesar da dor que sofreu, em silêncio, e da angústia que deve ter sentido em deixar a sua adorada família. Esses atos de desprendimento exemplificam o maior amor materno que jamais conheci.

PAT LAYE

Saindo de casa

Sempre tive a sensação de que Deus nos empresta nossos filhos até terem, aproximadamente, dezoito anos. Se você não tiver feito pontos com eles até então, já é tarde demais.

BETTY FORD

– Eu não vou chorar – disse a Chuck, meu marido, ao deixarmos a sessão de orientação para pais, organizada diversos meses antes de nossa filha partir para a faculdade.

Talvez as outras mães chorassem ao deixarem os seus filhos no alojamento, mas eu não choraria. Olhei à minha volta, no auditório, para todas as outras mães e me perguntei quais delas seriam as choronas. Pensei assim: "Eu é que não vou me agarrar a uma caixa de lenços de papel quando chegar a hora de me despedir de Sarah. Sou mais forte do que isso. Para que me lamuriar e soluçar só porque a minha garotinha está crescendo?"

Passamos a tarde inteira ouvindo os pais dos veteranos falarem do quanto as nossas vidas mudariam quando nossos filhos partissem para a faculdade. Uma mãe mais experiente avisou que choraríamos até chegar em casa.

Cutuquei Chuck:

– Isto é ridículo – comentei. – Por que será que estão dando tanta trela para isso tudo? – Ser mãe era importante para mim, mas, pelo amor de Deus, não era a única coisa! Tenho emprego, tenho amigos, eu tenho uma vida!

Sarah e eu passamos o verão inteiro nos alfinetando. Eu detestava sua mania de dizer que não agüentava esperar até partir para a faculdade – como se sua vida em casa, conosco, fosse uma espécie de cativeiro. Ela odiava o fato de eu viver pedindo que limpasse o quarto e colocasse a louça suja dentro da pia; a maneira de eu resmungar quando precisava usar o telefone e ela estava ocupando a linha; a maneira de lhe perguntar por onde andara quando saía com os amigos. Afinal de contas, tinha dezoito anos. Não precisava ficar dando satisfações à mãe a cada cinco minutos.

Em agosto, encontrei minha amiga Pat na biblioteca. Pat recordou as semanas anteriores à partida da filha para a faculdade.

– Passamos o verão inteiro às turras – contou. – Acho que foi a nossa forma de nos acostumarmos a viver longe uma da outra. Quando a gente passa o tempo todo discutindo, com raiva, não se sente tão mal quando ela está partindo.

– Além disso – reagi, pensativa –, ela não se sente tão mal por estar partindo quando passa o tempo todo fula da vida com a mãe.

No dia da mudança, nós a ajudamos a desfazer as malas e a guardar seus pertences no quarto do alojamento. Cobri o colchão de Sarah com lençóis extralongos enquanto Chuck montava uma prateleira dentro de seu guarda-roupa. Depois do almoço, nos despedimos, nos abraçamos no meio-fio e, então, Chuck e eu partimos.

A mulher da orientação estava enganada, pensei. Isto não é tão ruim assim.

Dois dias depois, entrei em seu quarto. A porta estava aberta, a cama estava feita e toda a desordem da infância e da adolescência haviam sumido. E de repente eu me dei conta. Ela se fora.

Mais tarde, enquanto passava aspirador na sala, pensei ter ouvido alguém dizer: "Mãe." Desliguei o aspirador para ouvir os passos atravessarem a porta, para responder ao chamado de uma criança. Foi então que compreendi que estava sozinha. Sarah havia partido e nada, nunca mais, seria igual.

Tive vontade de ouvir sua voz. Queria saber como ela estava. Queria que ela se sentasse na beiradinha de minha cama à noite, como fazia antigamente, para me contar sobre o seu dia, sobre as aulas, sobre os professores, sobre os amigos, sobre os garotos dos quais gostava, sobre os garotos que gostavam dela...

– Aconteceu alguma coisa? – perguntou Chuck ao chegar em casa. Eu cortava legumes para refogar. Ele olhou para o meu rosto. – Você está chorando?

– São as cebolas – funguei, enquanto uma lágrima serpenteava pela minha face.

Depois do jantar, eu disse:

– Vamos ligar para ela. Talvez esteja esperando que liguemos.

– Mas só fazem dois dias – disse Chuck. – Vamos lhe dar pelo menos uma semana para se assentar.

Ele tinha razão, é claro. Eu não queria me transformar numa espécie de mãe psicótica. Me lembrei de como era ter dezoito anos e estar longe de casa pela primeira vez. Ela estava fazendo novos amigos, aprendendo novas idéias, formando novos elos. Eu precisava lhe dar espaço, a distância da qual precisava.

Então, o telefone tocou.

– Oi, mãe – disse Sarah. – Dava para você mandar umas fotos para eu colocar no quadro de cortiça? E alguns bichinhos de pelúcia?

Ela queria o ursinho. Queria uma foto minha com o pai – e uma do irmão mais novo. Adorava estar na faculdade, mas também sentia saudades nossas. E então começou a me contar sobre o seu dia, sobre as aulas, sobre os professores, sobre os meninos dos quais gostava, sobre os meninos que gostavam dela....

BETH COPELAND VARGO

É o coração que lembra

"Jamais houve uma criança tão encantadora, mas sua mãe ficava satisfeita quando o fazia dormir."

Ralph Waldo Emerson

"A mãe de quem você se lembra, é a mãe que você será!"

Essas palavras inundaram a minha mente na manhã em que fui mãe pela primeira vez. Ao colocarem Kaley em meus braços, aquela trouxinha quentinha e agitada de olhos arregalados, jurei para mim mesma que seria a melhor das mães, o tipo de mãe da qual eu me lembrava: amorosa, paciente, eternamente calma e plácida. Minha vida inteira havia pulsado com amor e, enquanto acariciava a minúscula cabeça de meu bebê e o sentia virar o rosto para afocinhar o meu dedo, jurei para ela:

– Você só conhecerá o amor, pequenininha.

Eu me lembrei da citação outra vez duas semanas mais tarde, às três da manhã, enquanto andava em círculos com minha recém-nascida aos berros, cheia de cólicas. Naquele momento, entretanto, aquelas palavras não me serviam de consolo. Afinal de contas, que bebê ia querer se lembrar de mim como eu estava então – privada de uma boa noite de sono, ansiosa e com a paciência mais gasta do que uma lâmina de sabão.

E apesar da promessa que havia feito, eu certamente não estava sentindo amor algum. Na verdade, não estava sentindo grande coisa. Estava entorpecida, fraca de tanta fadiga, tentando fazer tudo sozinha embora meu marido e minha mãe estivessem dormindo próximos dali, ao final do corredor. Tentava fazer Kaley se calar e a segurava mais perto de mim, mas ela apenas esperneava, sacudia o corpo todo e gritava ainda mais alto. E subitamente não pude conter as lágrimas. Fui afundando o corpo até o chão da sala escura, coloquei-a sobre o colo e solucei com o rosto enterrado nas mãos.

Não sei quanto tempo fiquei assim, mas, muito embora parecessem horas, não podem ter sido mais do que alguns minutos. Através de uma névoa de lágrimas, vi uma luz acender no corredor, desenhando a silhueta de minha mãe enquanto vestia o robe. Logo senti a sua mão em meu ombro.

– Dê-me o bebê – disse.

Não discuti. Derrotada, me limitei a lhe passar aquela trouxinha barulhenta e me arrastei até o sofá, onde deitei com o corpo encolhido numa bolinha bem apertada.

Minha mãe murmurou ao pé do ouvido de Kaley e, com imensa facilidade – fruto de décadas de prática –, passou-a para o ombro. E, por fim, o pranto se transformou em fungadas, as fungadas em soluços e, dali a meia hora, eu só ouvia ronquinhos abafados de bebê.

Senti alívio, mas não senti paz. Que espécie de mãe era eu que não conseguia acalmar a própria filha? Que espécie de mãe era eu que nem ao menos quis tentar? Observei mamãe sentar-se na cadeira de balanço, olhei-a dar início ao ritmo que, eu sei, havia embalado o meu sono em incontáveis noites. Tudo o que consegui sentir foi uma desesperada e exausta sensação de fracasso.

– Sou uma mãe terrível – murmurei.

– Não, não é.

– Você não compreende. – Novas lágrimas começaram a brotar no canto de meus olhos. – Neste exato instante, eu nem ao menos gosto dela. Meu próprio bebê.

Minha mãe riu baixinho.

– Bem, ela não está muito gostável hoje, está? Mas você ficou com ela o tempo todo. Quicou com ela no colo, a embalou, caminhou com ela. E, quando nada disso funcionou, você apenas a segurou nos braços e a manteve próxima.

Eu me sentei e abracei os joelhos.

– Mas a única coisa que consigo sentir é frustração, raiva e impaciência. Que tipo de mãe é essa?

Minha mãe não respondeu imediatamente. Apenas olhou para o bebê, adormecido em seus braços. Mas ficou com um ar pensativo e, quando falou, sua voz transmitia algo de longínquo e melancólico:

– Eu me lembro de todas elas – disse, suavemente. – Especialmente da última. Depois que você nasceu, eu costumava rezar, pedindo paciência. Eu chorava e implorava para que me dessem paciência. – Ela me olhou, um meio sorriso em seu rosto. – Acho que não fui ouvida, até hoje.

Eu não podia crer no que estava ouvindo.

– Mas mamãe, eis aí o que melhor me lembro a seu respeito. Não importava o que acontecesse, você nunca perdia a serenidade. De alguma maneira, você conseguia fazer tudo acontecer ao mesmo tempo.

E era verdade. Não importava quantos *brownies* precisassem ser assados de última hora, quantos pôsteres para o projeto de ciências precisassem ser coloridos – minha mãe sempre dava um jeito. Sempre calma. Sempre serena. Como enfermeira, seus horários eram irregulares, mas a cada peça de teatro, a cada recital do qual participei, mesmo que não conseguisse chegar a tempo para ver as cortinas se abrirem, eu sempre podia contar em ver um vulto conhecido, vestido de branco, entrar discretamente no auditório escuro.

Essa era a mãe da qual eu me lembrava, a mãe que fazia cada momento contar. A mãe que nunca se portou como eu acabava de me portar.

– Eu sempre pude contar com você – afirmei. – Sempre.

Mas, para minha imensa surpresa, ela revirou os olhos.

– Pode ser que você recorde os fatos assim, mas eu só lembro de me sentir sendo puxada em sete direções diferentes ao mesmo tempo. Você e seu irmão, seu pai, o pessoal do trabalho. Todos precisavam de mim, mas eu nunca tinha tempo o bastante para estar disponível para todo mundo.

– Mas você estava sempre disponível!

Ela balançou a cabeça.

– Não como eu gostaria de ter estado, com a freqüência ou pelo período que gostaria de ter estado. Então rezava e pedia paciência, para que eu pudesse aproveitar ao máximo o tempo que, de fato, tínhamos juntas. Mas você sabe o que dizem. Deus não nos dá paciência. Ele apenas nos envia momentos que nos façam treinar a paciência, e o faz repetidamente.

Ela olhou para Kaley.

– Momentos como este.

Olhei as duas e então, subitamente, compreendi: as lembranças não são guardadas em nossas mentes – perfeitamente aptas a registrar detalhes de forma incorreta – e sim em nossos corações. Minha mãe e eu não recordávamos a minha infância da mesma forma, mas compartilhávamos aquilo que de fato importava.

Ambas nos lembrávamos do amor.

Levantei do sofá e fui me sentar ao pé da cadeira de balanço. Ficamos assim por um bom tempo: minha mãe, minha filha e eu. E muito embora a choradeira tenha começado outra vez com o nascer do sol, naquele momento dourado e tranqüilo – eu sentada aos pés de minha mãe, com a mão nos cabelinhos sedosos de minha filha – murmurei um silencioso "muito obrigada".

Se Kaley, de alguma maneira, se lembrar daquela noite, espero que recorde o amor instintivo que me fez permanecer ao seu lado apesar de tudo.

TINA WHITTLE

Eu devo ter dois corações, mãe.

Porque eu te amo tanto.

Uma criança sem mãe

A morte de minha mãe foi rápida e brutal – teve um vírus no estômago na sexta-feira à noite e estava morta na segunda-feira de manhã. Não houve tempo de me despedir. Não estava preparada para perdê-la. Mas como explicar a morte para uma criança de dois anos? Perguntei a meu pai como eu reagira.

"Você era muito pequena, foi fácil distraí-la." Sua resposta apressada me fez entender que, na época, ele não conversara comigo sobre o assunto e mesmo agora só fala de mamãe se o pressiono.

Quase todas os personagens da minha infância eram como eu – sem mãe: Cinderela, Dumbo, Bambi e Branca de Neve. Os autores usam a técnica de criar personagens sem mães para dar-lhes um *status* de heroínas e fazê-las despertar mais carinho. E eu, criança, gostava das heroínas – não porque as visse como abandonadas e vulneráveis, mas porque tínhamos alguma coisa em comum.

Imagino que vocês esperam que eu fale da tristeza que senti por ser órfã de mãe, ou das habilidades que tive de desenvolver para compensar a perda. Mas a verdade é que não posso dizer que senti falta de mãe, pois houve várias mulheres que, cada uma a seu modo, desempenharam função de mãe para mim. Fui cercada de tias, irmãs, avó afetuosíssimas que capricharam nas minhas refeições, trançaram meu cabelo, me contaram histórias na hora de dormir e ouviram minhas histórias com interesse. Fui levada e buscada na escola com cuidado, prepararam-me para viver com naturalidade a primeira menstruação, deram-me o primeiro sutiã. Meu pai foi uma presença protetora e não me lembro de jamais ter sido carente de amor ou sentir falta de abraços quando era pequena.

Na época da escola, intuí que o fato de não ter mãe me tornava especial, mais importante de alguma forma. Usei isso com as freiras para que me dessem um tratamento diferente. Usei também com meu pai, reclamando dele quando se atrasava para me apanhar: "Se mamãe estivesse viva, aposto que ela chegaria na hora." Na fase de competição entre adolescentes, quando minhas amigas se queixavam de suas mães, eu dizia: "Vocês, pelo menos, têm mãe."

Foi só quando tive meu filho que comecei a sentir falta de minha mãe. Não porque ela poderia me ajudar a cuidar dele, mas porque, com Jacob, veio o entendimento do que uma mãe dá a seu filho, do que uma mãe é. Senti por meu filho um amor absoluto que eu não imaginava que um ser humano pudesse ter pelo outro. Percebi o que eu perdera e do que eu sentira falta, mas que nunca me ocorrera.

Fiquei especialmente atenta quando ele fez dois anos e cinco dias, exatamente a idade que eu tinha quando minha mãe morreu. Procurava entender como sua morte me afetara. Tentava imaginar como seria uma criança que mal começou a andar e tem o centro de sua vida roubado. Mas não conseguia me lembrar da experiência.

Eu não podia voltar àquela época. Em vez disso, fixei-me na minha relação com Jacob – de mãe para filho e não de filho para mãe.

Colocava seus dedinhos roliços na palma da minha mão e imaginava que minha mãe também segurara meus dedos assim. Brincava com ele de "aperto de mão secreto" – três apertos de mão enquanto eu murmurava "amo você". Quem fazia assim comigo era minha avó materna. Talvez ela também tenha brincado dessa forma com minha mãe. Quando consolava Jacob em sua tristeza ou fazia cosquinhas na sua barriga para que ele risse, achava que certamente mamãe fizera o mesmo comigo.

Pela primeira vez eu pensava em minha mãe como uma mulher que amara sua filha e se alegrara com ela com a mesma paixão que eu sentia por Jacob. Então chorei muitas vezes, de forma profunda, como uma purificação.

Chorei pela mulher que foi tirada de sua filha. Chorei por aquela menininha que eu queria abraçar e a quem eu queria dizer o quanto lamentava a perda que ela sofrera. Dizer que eu a protegeria e a ajudaria a se sentir segura. Queria que ela soubesse que fora muito e profundamente amada por sua mãe. Fazer isso me deu liberdade de experimentar todas as sensações que eu passara a vida negando.

Agora, quando leio para Jacob dormir e vejo filmes com ele, ainda tenho empatia por personagens solitários: o ET, separado da nave-mãe, o bebê dinossauro que perdeu a mãe tão cedo, a Pequena Sereia, que só tinha o pai, e a Bela, que enfrentou a Fera sem ter a mãe para lhe dar conselhos. E agora, apesar de ser imensamente grata por todas as figuras femininas que desempenharam para mim função materna, também entendo como corta o coração a idéia de uma criança sem mãe. O que a vida não me ensinou, eu aprendi com meu filho.

JANE KIRBY

Óculos escuros

Temos uma foto dele em algum lugar. É a foto de um garotinho de cinco anos com o coração partido, atirado num banco da Disney, tentando conter as lágrimas, os lábios tão tensos que quase dá para vê-los tremer, as orelhas de Mickey tortas.

Mas é possível que não tenhamos essa foto a não ser em nossa lembrança. Ainda assim, é a mesma imagem compartilhada por mim e por meu marido: um dia de sol, uma luz branca cintilando nas janelas da Main Street e refletindo dezenas de carruagens com rodas de cromo. Luz e calor bruxuleavam por todos os lados e nossos dois filhos clamavam por óculos escuros:

– Por favor, mamãe? Pai, por favor, por favor!

Entramos rapidamente numa loja e Rob escolheu óculos de Pato Donald, um troço de plástico azul e branco que escorregava do nariz, deixando-o mais parecido com o Tio Patinhas do que com o Pato Donald. Mas não lhe dissemos isso. Ele amava aqueles óculos. Lauren, já intensamente preocupada em andar na moda apesar dos três anos, escolheu óculos cor-de-rosa da Minnie porque vestia rosa naquele dia.

Saíram da escuridão da loja para a claridade do dia com os óculos no rosto, subiram a Main Street, atravessaram o castelo e entraram na Terra da Fantasia. Quando andaram no brinquedo do Peter Pan, tiraram os óculos e os seguraram, fazendo o mesmo no Piratas do Caribe.

De alguma forma, depois disso, talvez justamente quando saíram desse brinquedo específico, ou quem sabe quando parou para amarrar os tênis ou para ajeitar as orelhas do Mickey, ou quando paramos para almoçar, os óculos de Pato Donald desapareceram. E Robbie, que tinha cinco anos e amava aqueles óculos, chorou.

"Se você os amava tanto, deveria ter tido mais cuidado com eles", foi o que lhe dissemos. Ou alguma coisa do gênero. Imagino eu. Mas éramos jovens e pouco versados na arte de criar filhos e, afinal, não era para a gente lhe ensinar a cuidar de suas coisas? Não era nosso dever nos certificarmos de que ele compreendia que dinheiro não cresce em árvores?

Quanto custaram os óculos? Um dólar? Dois dólares? Que mal haveria em secarmos as suas lágrimas e dizermos: "Venha, vamos comprar outros. Sei que você não queria perdê-los." Será que ele teria se transformado numa pessoa do mal por causa disso? Teríamos nós o corrompido de alguma forma imprevisível?

Lauren disse:

– Você pode ficar com os meus, Robbie. – Mas ele não queria os óculos dela. Eram cor-de-rosa. Eram óculos de menina. Os dele eram azuis, eram óculos de menino. E haviam sumido. Ele os adorava e agora estava arrasado.

Se eu pudesse fazer tudo outra vez, teria voltado a Main Street, comprado outro par de óculos de Pato Donald novinhos em folha e fingido que os encontrara no chão. Eu teria berrado: "Ei, olhe só o que achei!" E ele teria se levantado na mesma hora, corrido – rindo –, atirado os braços em torno de mim e colocado os óculos no rosto. E é assim que nos lembraríamos daquele dia.

Vivendo e aprendendo.

Há alguns meses, estávamos em Orlando, não exatamente na cena do crime, mas bastante perto. Nosso filho, há muito adulto, estava lá a trabalho e pegamos um avião para encontrá-lo. Em meio àquela agitação de carros alugados, restaurantes e deslocamentos para cá e para lá, adivinhe só? Ele perdeu os óculos escuros!

Não ralhamos com ele, nem ao menos nos passou pela cabeça dizer: se você gostava tanto deles, deveria ter sido mais cuidadoso. Todo mundo perde coisas o tempo todo. Em vez disso, fizemos o que a maioria dos adultos faz por outros adultos: tentamos ajudá-lo a descobrir onde os teria deixado e – imagine só – acabou por encontrá-los numa sala de reunião na qual estivera no dia anterior.

Tinha um sorriso estampado no rosto ao voltar para o carro. Passos lépidos, olhos ocultos pelos óculos escuros, ele em nada lembrava aquele menino de cinco anos.

Exceto para mim.

Foi o meu primeiro filho e o primeiro sempre paga o preço mais alto por você ser nova naquilo, por seguir tudo à risca e não querer errar sendo boazinha demais. Mas aí acaba errando do mesmo jeito porque, na verdade: você lá sabe o que está fazendo?

Sei que, como pais, temos obrigação de ensinar aos nossos filhos. Mas também sei que nem tudo precisa ser uma lição. Às vezes, óculos escuros são só isso: óculos escuros perdidos e nada mais.

BEVERLY BECKHAM

Um filho perfeito

Aos vinte e seis anos, tive um lindo bebê. Seu cabelo era escuro, seus olhos, verdes, e tinha os cílios mais longos que eu jamais vira. Falou aos nove meses, andou aos dez e, aos dois anos, já esquiava. Era minha alegria e eu sentia por ele um amor intenso, que nem imaginava ser possível existir.

Como todas as mães, eu sonhava com o futuro de George. Quem sabe seria um engenheiro? Um esquiador, com certeza. Era tão inteligente que freqüentava uma escola especial. Uma vez, eu contava uma dessas "histórias de mãe" para uma amiga e ela perguntou: "Que bom que George é perfeito. Você o amaria tanto se ele não fosse?" Pensei sobre a pergunta, mas a esqueci até o ano seguinte.

Um dia, aos oito anos, George se levantou com o pé apontando para cima, só conseguindo andar se apoiando no calcanhar. Percorremos consultórios médicos enquanto o problema atingia uma perna, depois a outra. Ouvimos alguns diagnósticos até chegar ao de distonia generalizada, um problema neurológico. Ele perderia a capacidade de andar e talvez o controle da maioria dos músculos, num doloroso processo.

Eu sentia muito ódio: de Deus, que fizera aquela maldade comigo e com meu filho, de mim, que de alguma forma causara nele um problema genético, e de George, por sua deformação.

Eu me envergonhava de andar com ele na rua. As pessoas o viam e rapidamente me fitavam com pena. Às vezes, eu não suportava olhá-lo, de tão torto e feio. Gritava para que ele andasse reto, porque não agüentava ver como ele se tornara deformado. George sorria, dizendo: "Estou tentando, mamãe."

Eu não o achava mais bonito. Só conseguia ver suas pernas tortas, seus braços, costas e dedos tortos. Não queria mais amá-lo, porque tinha medo de perdê-lo. Não podia mais sonhar com o que ele seria no futuro, pois nem sabia se ele teria um futuro. Pensava sempre que não poderia dançar com ele no seu casamento.

Um dia, fiquei de coração tão partido ao vê-lo tentar colocar seus pés tortos no seu amado *skate,* que tratei de guardá-lo no armário, dizendo que era para ele "usar depois".

Toda vez que lia para George na hora de dormir, ele me perguntava a mesma coisa: "Se rezarmos muito, você acha que vou estar andando quando acordar?"

"Não, mas acho que devemos rezar de qualquer jeito."

"Sabe, mamãe, os outros meninos me chamam de aleijado,

não querem mais brincar comigo. Não tenho mais amigos. Odeio eles. Me odeio."

Tentamos todos os remédios, dietas e médicos possíveis. Procurei o centro de pesquisas sobre a doença e fundei a Associação Inglesa dos Portadores de Distonia. Dirigi minha vida para procurar a cura para esse mal, querendo que meu filho voltasse a ser normal.

Aos poucos, a relação com George foi me ensinando a perdoar, mas eu ainda me sentia paralisada pelo medo. Foi quando uma amiga me levou a um grupo de meditação, onde aprendi a praticar diariamente. Fui adquirindo uma paz interior que não conhecera antes, mesmo quando meu filho era perfeito. Descobri que o problema que vivíamos era uma chance de crescimento para nós, tão dolorosa quanto preciosa. Agora, o amor parecia maior do que qualquer sensação que eu pudesse compreender. Vi que George era meu professor e que a lição era o amor.

Sei que George sempre será um pouco diferente das outras crianças – mas é meu filho querido. Parei de ter vergonha quando seu corpo não estava reto. Aceitei que ele crescesse com perspectivas diferentes das outras pessoas. Mas ele se desenvolveu com mais paciência, mais ambição e mais coragem do que qualquer pessoa que eu já conhecera.

Aos dezoito anos, George conseguiu esticar uma das pernas. Jogou fora uma muleta. No mês seguinte, jogou a outra. Seu andar era capenga, mas andava sozinho. Veio visitar-me logo depois disso e, quando abri a porta de casa, vi na minha frente um rapaz alto e bonito.

"Oi, mamãe", ele sorriu. "Quer ir dançar?"

Numa recente reunião de minhas colegas de escola, todas comentavam os sucessos dos filhos.

"Meu filho é músico."

"Minha filha é médica."

Quando chegou minha vez, falei com extremo orgulho: "Meu filho anda. E ele é perfeito."

SHARON DREW MORGAN

Mary

O filho de Mary veio passar em casa a semana de férias da universidade. Sentia-se cansado e estava pálido, perdera a vitalidade. Preocupada, ela o levou ao médico, que diagnosticou uma forma rara de câncer. Era incurável.

Quando Mary ouviu o diagnóstico, o filho já voltara para a faculdade. Ela subiu os degraus da entrada, abriu a porta com força e uivou com todas as suas forças. Gritando de revolta, correu de quarto em quarto abrindo as janelas com ímpeto e dando socos no ar. O marido tentou acalmá-la sem resultado. Assustado, ele telefonou para um terapeuta que vinham consultando juntos e correu com o telefone até o quarto onde Mary gritava diante da janela aberta.

– Mary, Mary – disse ele –, o terapeuta está ao telefone.

Ao ouvir isso, ela avançou sobre o marido, gritando:

– O terapeuta? O terapeuta? Fale *você* com o terapeuta, Harry. Eu vou falar com Deus.

Mary precisou de toda a sua raiva, força de vontade e vitalidade para atravessar os quatorze meses que se seguiram. Com a ajuda das quatro filhas, ela levou o rapaz a quem quer que pudesse ajudar. Tentaram de tudo, mas o câncer avançou com fúria, transformando-o numa sombra de si mesmo, até que, finalmente, ele morreu nos braços da mãe. Tinha apenas vinte anos. Todo aquele amor materno não fora capaz de salvá-lo. Mary sentiu que sua vida se fora com o filho. Passou vários meses entorpecida. Inconsolável.

Cerca de dois anos mais tarde, Mary foi com seu irmão a uma igreja católica que nunca visitara. Sem conseguir rezar, ela caminhou sem destino pela nave até parar em frente a uma imagem da Virgem Maria. De repente, a dor que estava congelada em seu coração encontrou palavras e ela perguntou em voz alta:

– Como a senhora conseguiu, Maria? Como conseguiu renunciar a seu filho? Como conseguiu encontrar uma maneira de continuar vivendo depois que ele morreu? Onde descobriu alguma esperança de conforto?

Com lágrimas descendo pelo rosto, ela disse à Virgem que sempre fora uma boa pessoa, uma boa mãe.

– Por quê? – inquiriu. – Por quê?

Que razão poderia haver para uma pessoa tão cheia de vida, tão nova, tão brilhante, sofrer e morrer? Mary sabia, sem sombra de dúvida, que jamais superaria aquela perda. Ainda chorando, ela contou à Virgem como seu filho era jovem, como ele se esquecia de comer, como não sabia lavar as próprias roupas direito.

– Ele precisava de uma mãe – disse, em lágrimas. – Ele ainda precisa de uma mãe. Não posso compreender, mas entrego-o aos seus cuidados.

Virou-se de costas e saiu da igreja.

Um ou dois dias depois, enquanto dirigia para o trabalho, Mary surpreendeu-se ao perceber que estava cantarolando um antigo hino de louvor sobre o consolo. Com o passar do tempo, devagarinho, ela foi conseguindo aliviar seu coração.

Fiquei perplexa com a força dessa história, impressionada com a intensidade do amor de Mary pelo filho e da dor pela sua perda. Não consegui dizer nada. Mary olhou para mim e sorriu:

– E o Mistério, Rachel? O Mistério é que é possível ser reconfortada.

Recentemente, Mary escreveu-me uma carta para contar que duas de suas filhas estão grávidas. Na próxima primavera, uma delas trará ao mundo um menino, seu primeiro neto.

RACHEL NAOMI REMEN

extraída do livro *As Bênçãos do Meu Avô*

Permissões

Quando Deus criou as mães. Reproduzido com a permissão de Erma Bombeck.
©2002 Erma Bombeck.

Bem-vinda à Holanda. Reproduzido com a permissão de Emily Perl Kingsley.
©2002 Emily Perl Kingsley.

Mãe por um só dia. Reproduzido com a permissão de Anne Jordan.
©2002 Anne Jordan.

Você já viu Deus? Reproduzido com a permissão de Leonardo Boff.
©2002 Leonardo Boff.

Para ler quando estiver sozinho. Reproduzido com a permissão de Mike Straver.
©2002 Mike Straver.

Uma doce lição. Reproduzido com a permissão de Mildred Bonzo.
©2002 Mildred Bonzo.

Quando mamãe veio para o chá. Reproduzido com a permissão de Margie M. Coburn.
©2002 Margie M. Coburn.

Maioridade. Reproduzido com a permissão de Rachel Naomi Reman.
©2002 Rachel Naomi Reman.

Bilhetes de amor. Reproduzido com a permissão de Antoinette Kuritz.
©2002 Antoinette Kuritz.

O compromisso. Reproduzido com a permissão do Reverendo Michael Lindvall.
©2002 Reverendo Michael Lindvall.

A porta aberta. Reproduzido com a permissão de Robert Strand.
©2002 Robert Strand.

Um coração clemente. Reproduzido com a permissão de W. W. Meade.
©2002 W. W. Meade.

O dia em que tudo deu errado. Reproduzido com a permissão de Judith Towse-Roberts.
©2002 Judith Towse-Roberts.

A madrasta. Reproduzido com a permissão de Jennifer Graham.
©2002 Jennifer Graham.

Os setenta e cinco anos de mamãe. Reproduzido com a permissão de Alice Collins.
©2002 Alice Collins.

Jantar de família. Reproduzido com a permissão de Shari Cohen.
©2002 Shari Cohen.

Movendo montanhas. Reproduzido com a permissão de Jim Stovall.
©2002 Jim Stovall.

O dia em que eu estava tão ocupada. Reproduzido com a permissão de Cindy Ladage.
©2002 Cindy Ladage.

O dia em que soltamos pipas. Reproduzido com a permissão de Frances Fowler.
©2002 Frances Fowler.

A boneca quebrada. Reproduzido com a permissão de Dan Clark.
©2002 Dan Clark.

Além do controle. Reproduzido com a permissão de Colleen Derrick Horning. ©2002 Colleen Derrick Horning.

Completamente errado. Reproduzido com a permissão de Gerald E. Thurston. ©2002 Gerald E. Thurston.

O suéter. Reproduzido com a permissão de Pamela Albee. ©2002 Pamela Albee.

Confissões de uma madrasta. Reproduzido com a permissão de Carol Kline. ©2002 Carol Kline.

A visão real. Reproduzido com a permissão de Marsha Arons. ©2002 Marsha Arons.

Feche a boca e abra os braços. Reproduzido com a permissão de Diane C. Perrone. ©2002 Diane C. Perrone.

Aperte minha mão. Reproduzido com a permissão de Mary Marcdante. ©2002 Mary Marcdante.

Minha filha, minha mestra. Reproduzido com a permissão de Janet S. Meyer. ©2002 Janet S. Meyer.

O visitante do meio da noite. Reproduzido com a permissão de Edith Dean. ©2002 Edith Dean.

O prognóstico. Reproduzido com a permissão de Rochelle M. Pennington. ©2002 Rochelle M. Pennington.

Dance comigo. Reproduzido com a permissão de Jean Harper. ©2002 Jean Harper.

Os grampos de cabelo. Reproduzido com a permissão de Linda Goodman. ©2002 Linda Goodman.

O jogo da maternidade. Reproduzido com a permissão de Jacklyn Lee Lindstrom. ©2002 Jacklyn Lee Lindstrom.

As riquezas de mamãe. Reproduzido com a permissão de Mary Kenion. ©2002 Mary Kenion.

Brincar também é importante. Reproduzido com a permissão de Jayne Jandon Ferrer. ©2002 Jayne Jandon Ferrer.

Flores para o Dia das Mães. Reproduzido com a permissão de Patricia A. Rinaldi. ©2002 Patricia A. Rinaldi.

O telefonema à meia-noite. Reproduzido com a permissão de Christie Craig. ©2002 Christie Craig.

Mães e filhas. Reproduzido com a permissão de Patricia Bunin. ©2002 Patricia Bunin.

A fé se aprende pelo amor. Reproduzido com a permissão de D. Paulo Evaristo Arns. ©2002 D. Paulo Evaristo Arns.

Aprendendo a escutar. Reproduzido com a permissão de Marion Bond West. ©2002 Marion Bond West.

Amor de mãe. Reproduzido com a permissão de Pat Laye. ©2002 Pat Laye.

Saindo de casa. Reproduzido com a permissão de Beth Copeland Vargo. ©2002 Beth Copeland Vargo.

É o coracão que lembra. Reproduzido com a permissão de Tina Whittle. ©2002 Tina Whittle.

Uma criança sem mãe. Reproduzido com a permissão de Jane Kirby. ©2002 Jane Kirby.

Óculos escuros. Reproduzido com a permissão de Beverly Beckham. ©2002 Beverly Beckham.

Um filho perfeito. Reproduzido com a permissão de Sharon Drew Morgan. ©2002 Sharon Drew Morgan.

Mary. Reproduzido com a permissão de Rachel Naomi Remen. ©2002 Rachel Naomi Remen.

Desenhos das páginas:

- 28, 60, 72, 90, 107 e 141 – Reproduzido com a permissão de Bil Keane;
- 144 – Reproduzido com a permissão de Dave Carpenter;
- 124 – Reproduzido com a permissão de Aaron Bacall;
- 168 – Reproduzido com a permissão de King Feature Syndicate.

Próximo título da série:

Histórias para Aquecer o Coração dos Adolescentes

Lançaremos em maio de 2002 o próximo volume da coleção: *Histórias para Aquecer o Coração dos Adolescentes.* Leia a seguir uma das histórias deste título:

A fofoqueira

Uma mulher espalhou uma fofoca sobre uma vizinha. Alguns dias depois, o bairro inteiro sabia da história. O alvo da fofoca ficou muito magoada e ofendida. Mais tarde, a mulher responsável por espalhar o boato descobriu que era tudo mentira. Ficou muito arrependida e foi visitar um velho sábio para descobrir o que podia fazer para consertar o estrago.

– Vá até a praça do mercado – disse ele –, compre uma galinha, e mande matar. Depois, no caminho de casa, depene a galinha e solte as penas uma por uma pela rua. – Embora surpresa com o conselho, a mulher fez o que ele mandara.

No dia seguinte, o sábio disse:

– Agora vá e recolha todas as penas que deixou cair ontem e traga para mim.

A mulher seguiu o mesmo caminho mas, para seu desespero, o vento tinha dispersado todas as penas. Depois de procurar por horas, ela voltou com apenas três penas na mão.

– Está vendo – disse o velho sábio –, é fácil soltá-las, mas é impossível recolhê-las. Com a fofoca também é assim. Não custa muito espalhar um boato, mas, depois que espalha, nunca pode reverter o dano completamente.

Autor desconhecido

Muitas das histórias publicadas na série *Histórias para Aquecer o Coração* foram escritas por leitores como você, que leram os títulos anteriores da coleção. Nosso plano é lançar quatro livros novos a cada ano, e gostaríamos de convidá-lo a contribuir com sua própria história.

As histórias podem ter no máximo 1.200 palavras, e devem emocionar e ser inspiradoras. Além dos títulos já mencionados, alguns dos novos planos são *Histórias para Aquecer o Coração dos Casais, dos Pais, das Mulheres, dos Professores* e mais um volume com histórias genéricas.

Envie sua história, indicando se preferir para que edição se destina, para o seguinte endereço:

Editora Sextante
A/C Editor Histórias para Aquecer o Coração
Av. Nilo Peçanha, 155– Grupo 301 – Centro
20020 – 100 – Rio de Janeiro – RJ
ou escreva diretamente em nossa página na Internet, www.esextante.com.br, na seção indicada em Comunidade.

Nós mencionaremos o crédito de sua autoria na publicação do título.

Conheça outros títulos da Editora Sextante:

De Rachel Naomi Remen:
As Bênçãos do Meu Avô

"Meu avô era um estudioso da Cabala, os ensinamentos místicos do judaísmo. De acordo com a Cabala, em algum momento, no início de tudo, o Criador dividiu-se em incontáveis centelhas que se espalharam por todo o universo.

Há uma centelha de Deus em cada ser e em cada objeto, e a presença de Deus entre nós é encontrada diariamente nas formas mais simples, despretensiosas e comuns.

Foi meu avô quem me ensinou que precisamos nos lembrar de abençoar a vida que existe ao nosso redor e dentro de nós. Ele disse que, quando nos lembramos que podemos abençoar a vida, nós nos tornamos capazes de reconstruir o mundo."

Rachel Naomi Remen

De Anita Diamant:
A Tenda Vermelha

Uma extraordinária combinação de pesquisa, narrativa bíblica e puro talento.

Ganhador do importante prêmio O Livro de Ficção do Ano 2001 pela Associação dos Livreiros Independentes Americanos, com mais de 800 mil exemplares vendidos nos Estados Unidos, *A Tenda Vermelha* reúne uma narrativa envolvente e um marco importante na ficção moderna: um olhar feminino sobre a sociedade dos tempos bíblicos.

Anita Diamant é uma grande contadora de histórias, não apenas dando vida às mulheres sobre as quais a Bíblia fala tão pouco, como também evocando com agilidade um tempo e um lugar. Como fazem os melhores escritores de ficção, a autora transporta os leitores para a magia dos tempos bíblicos, fazendo-os descobrir que não existe grande diferença entre as pessoas através dos séculos, pelo menos quando se trata de provações e tragédias, felicidade e amor.

Booklist

De Bradley Trevor Greive:
Querida Mamãe – Obrigado por tudo

Nem sempre é fácil achar as palavras certas para dizer o quanto gostamos de nossas mães. Como agradecer por toda dedicação, amor e cuidado que recebemos?

Querida Mamãe vai ajudar os filhos de todas as idades (especialmente os que se dizem crescidos) a expressar esses sentimentos tão fundamentais com uma divertida combinação de palavras e extraordinárias fotografias de animais.

De Sarah Ban Breathnach:
Algo Mais

"Quero partilhar minha experiência e contar-lhe um pouco tanto da minha trajetória quanto da de outras mulheres para que você seja mais feliz, mais dona dessa pessoa fascinante que você é. Fascinante não por ser rica, executiva do ano ou campeã sexual. Fascinante por sua singularidade, por aquilo que é específico seu, que é único no mundo.

Descobri que só há uma coisa que quero pedir em minhas preces: é viver de forma apaixonada. Sabem onde está a paixão? Em todo lugar. A paixão deve estar presente em cada pequeno gesto, enchendo-o de significado, se quisermos levar uma vida rica, feliz, ancorada no que é importante, precioso e essencial."

Sara Ban Breathnach

De David Niven:
Os 100 Segredos das Pessoas Felizes

Descobertas simples e úteis dos estudos científicos sobre a felicidade

Não existe a menor dúvida: ser feliz é o desejo de todo ser humano. Mas o que é ser feliz e como fazer para atingir a felicidade que todos sonhamos?

Este livro é para ser lido devagar, degustando cada tópico, deixando que ele penetre em nossa consciência, nos questionando e transformando. Assim, você irá compreender as diferenças entre as pessoas felizes e as pessoas infelizes e saber o que pode fazer para aproveitar melhor a vida.

Conheça também os seguintes títulos da Editora Sextante:

De Bradley Trevor Greive
– Um Dia "Daqueles"

De Darrin Zeer
– Ioga no Trabalho

De Richard Galli
– Salvando Meu Filho

De Gavin de Becker
– Como Proteger Seus Filhos

De Tom Shroder
– Almas Antigas

De Sylvia Browne
– O Outro Lado da Vida
– A Vida no Outro Lado

De Oriah Mountain Dreamer
– O Convite

De Allan e Barbara Pease
– Por que os Homens Fazem Sexo e as Mulheres Fazem Amor

De Shirley MacLaine
– O Caminho – Uma jornada do espírito

De James Van Praagh
– Em Busca da Espiritualidade
– Conversando com os Espíritos
– Em Busca do Perdão (acompanha CD com exercícios de meditação)

De Leonardo Boff
– A Oração de São Francisco
– Tempo de Transcendência (acompanha CD com palestra do autor)
– Espiritualidade (acompanha CD com palestra do autor)
– Fundamentalismo (acompanha CD com palestra do autor)

De Sua Santidade, o Dalai-Lama
– Uma Ética para o Novo Milênio
– O Caminho da Tranqüilidade
– Palavras de Sabedoria
– O Livro de Dias – Mensagens de sabedoria e compaixão

De Louise Hay
– Meditações para a Manhã e para a Noite (acompanha CD com exercícios de meditação)
– Meditações para a Saúde do Corpo e da Mente (acompanha CD com exercícios de meditação)

De Iyanla Vanzant
– Um Dia Minha Alma se Abriu por Inteiro
– Ontem, Eu Chorei

De Salle Redfield
– Descobrindo a Alegria de Viver (acompanha CD com exercícios de meditação)
– Meditações Celestinas (acompanha CD com exercícios de meditação)
– A Alegria da Meditação (acompanha CD com exercícios de meditação)

De Morrie Schwartz
– Lições sobre Amar e Viver

De Richard Bolles
– Como Conseguir um Emprego e Descobrir a Sua Profissão Ideal

De Elizabeth Kübler-Ross
– A Roda da Vida – Memórias do viver e do morrer

De Yitta Halberstam e Judith Leventhal
– Pequenos Milagres

De Patch Adams
– O Amor É Contagioso

De Domenico De Masi
– O Ócio Criativo
– A Economia do Ócio

De Richard Carlson e Benjamin Shield
– Os Caminhos do Coração
– Ao Encontro de Deus

De Neale Donald Walsch
– Uma Amizade com Deus
– Comunhão com Deus

De Richard Bode
– Velejando com a Vida

De D. Paulo Evaristo Arns
– Da Esperança à Utopia

Informações sobre os próximos lançamentos

Para receber informações sobre os próximos lançamentos da Editora Sextante, queira entrar em contato com nossa Central de Atendimento, dando seu nome, endereço e telefone para:

EDITORA SEXTANTE
Av. Nilo Peçanha, 155 – Gr. 301 – Centro
20020-100 – Rio de Janeiro – RJ
Tel.: (21) 2524-6760 – Fax: (21) 2524-6755
DDG: 0800-22-6306 (ligação gratuita)
E-mail: atendimento@esextante.com.br

Para saber mais sobre nossos títulos e autores, e enviar seus comentários sobre este livro, visite o nosso *site:*

www.esextante.com.br